EEN BLINKENDE TRAAN

J.F. van der Poel

Een blinkende traan

Citerreeks

ISBN 978 90 5977 365 3
NUR 344
© 2008 Citerreeks, Kampen
Omslagillustratie- en ontwerp Bas Mazur
www.citerreeks.nl

Namen van personen in dit boek:

Ria Milder:	moeder van Francien
Vincent Milder:	vader van Francien
Francien Milder:	dochter van Ria en Vincent
Simon Heinzen:	vriend van Francien
Ernst Habbenstein:	zakenman uit Duitsland
Gerda Habbenstein:	moeder van Ernst
Tante Nel:	vriendin van Ria
Rianna:	vriendin van Francien

1

'Het kan vanavond wel eens laat worden,' zegt Francien tegen haar moeder.

'Niks laat, je bent voor twaalf uur binnen. Begrepen?' schreeuwt Vincent, haar vader.

'Beginnen we weer!' schreeuwt Francien terug tegen haar vader.

'Je kent onze normen,' zegt haar moeder.

Francien pakt haar jack van de kapstok in de hal en gooit de dikke eiken voordeur achter zich dicht.

Ze stapt in haar kleine Toyota Aygo en rijdt weg met slippende banden.

'Waarom doe je zo moeilijk tegen dat kind?' zegt Ria tegen haar man Vincent.

'Ik moeilijk?'

'Ja.'

'Ze is twintig geweest en doet waar ze zin in heeft,' antwoordt Vincent.

'Ze heeft het moeilijk, je moet niet zo streng zijn. We leven in een heel andere tijd en de kinderen helemaal.'

'Zo praten ze tegenwoordig allemaal. Ze kan luisteren en anders ...'

'Wat anders?'

'Dan gaat ze het huis maar uit.'

'Waarom ben je de laatste tijd zo agressief?'

'Moet ik jou dat nog vertellen?'

'Zeg het dan, Vincent.'

'Ach, laat maar.'

'Je hebt Francien als je eigen dochter aanvaard toen je met mij trouwde, je moet eerlijk zijn, Vincent.'

'Ik kon niet anders.'

'Waarom kon je niet anders?'

'Omdat ik dacht dat het allemaal makkelijk zou zijn.'

'Bedoel je … bedoel je, dat je er spijt van hebt na ruim twintig jaar?'

'Niet echt, toch is het moeilijk.'

Ria loopt naar haar man. Ze houdt zijn gezicht tussen haar handen en fluistert: 'Vincent, houd je nog wel van mij?'

'Ach ja.'

'Zeg het dan?'

'Wie is haar vader?'

'Dat weet jij heel goed, begin je nu weer opnieuw?'

Vincent rukt zich los. Hij loopt naar buiten en gaat op het terras zitten van hun grote landhuis.

'Dus je houdt vol dat het kind van je tweede vader is.'

'Waarom zou ik daarover liegen?'

'Omdat hij nooit heeft bekend dat het van hem was en ze jou uit huis hebben gezet.'

Ria gaat op een van de stoelen op het terras zitten. Ze laat haar hoofd zakken en snikt: 'Moet ik dan elke dag in mijn leven hiervoor boeten?'

'Zo bedoel ik het nou ook weer niet, Ria.'

'Wat wil je dan?'

'De waarheid.'

'Die heb je.'

'Waarom heb jij je stiefvader nooit bij de politie aange-geven en wist je moeder er niks van?'

'Moeder geloofde mij niet, trouwens ze leven alle twee niet meer. Je moet mij geloven, Vincent.'

'Het is zo moeilijk voor mij.'

'Waarom ben je dan met mij getrouwd?'

'Je was in verwachting en werd op straat gezet.'

'Dus je bent uit medelijden met mij getrouwd?'

'Nee, dat niet.'

'Waarom doe je dan zo moeilijk? Je weet heel goed dat ik het thuis niet makkelijk had,' snikt Ria opnieuw.

'Als je stiefvader het bekend had, dan was het anders geweest voor mij.'

'Dus je gelooft meer in mijn vader die mij op straat heeft gezet omdat ik in verwachting was, dan in mij?'

'Je weet heel goed wat ik bedoel.'

'Houd je niet meer van Francien, onze dochter?'

'Ze is mijn dochter niet,' antwoordt Vincent met een zachte stem.

'Dus jij gelooft mijn ouders dat ik van een ander in verwachting was.'

'Je vader heeft het nooit toegegeven.'

'Dus jij gelooft je eigen vrouw niet en gaat dat op je dochter wreken?'

'Dat niet, maar hoe ouder ze wordt, hoe moeilijker ik het kan aanvaarden.'

'Je wilt toch niet zeggen dat je spijt van ons huwelijk hebt?'

'Dat niet.'

'Moet ik opnieuw vertellen wat voor jeugd ik heb gehad?' snikt Ria.

'Nou ja.'

'Denk jij echt dat ik mijn stiefvader zomaar beschuldig van verkrachting?'

'Dat heb je alleen aan mijn ouders verteld.'

'Moest dan heel het dorp het weten?'

'Nee, dat niet.'

'Wat wil je dan?'

'De waarheid,' antwoordt Vincent, terwijl hij zijn vrouw Ria aankijkt.

'Die heb je.'

'Dat zeg jij.'

'Waarom geloofde je mij vroeger wel en leven wij de laatste tijd alsof ik een ziekte bij mij draag?'

'Omdat het niet eerlijk is.'

'Wat is niet eerlijk?' schreeuwt Ria, terwijl ze uit haar stoel opspringt en recht voor Vincent gaat staan.

'Je stiefvader.'

'Wat mijn stiefvader? Die smerige kerel! Hij leeft al jaren niet meer.'

'Waarom heeft hij het nooit aan je moeder en mij bekend en hield hij vol dat het van een ander was?'

'Vincent, vroeger geloofde je mij wel en kon ik er met je over praten. Je maakt het de laatste tijd voor mij steeds moeilijker. Een onecht kind is vaak een weggooiartikel geweest en zeker in onze kringen. Het is maar goed dat Francien er geen weet van heeft. Het is maar goed dat onze dominee het ook niet weet. Nooit zal ik het toegeven. Nooit, hoor je! Francien zal er nooit onder lijden dat jij haar vader niet bent. Ik blijf volhouden dat jij haar vader bent!' schreeuwt Ria.

'Doe gewoon,' zegt Vincent als hij merkt dat Ria over haar toeren raakt.

'Je bent gemeen om er steeds weer over te beginnen! Ik heb het al moeilijk genoeg gehad, thuis had ik geen leven en nu begin jij ook al.'

'Kun jij je dan niet in mijn situatie verplaatsen?'

'Je wilde toch met mij trouwen?'

'Waarom heb je het nooit eerder verteld?'

'Je wist dat het van mijn stiefvader was.'

'Dat moest ik geloven.'

'Je wilde graag met mij trouwen.'

'Maar toen ik met je vader ging praten hield hij vol dat het van een ander was, van een vriend van je.'

'Daar had ik niks mee, het was een oude schoolvriend van mij.'

'Dat kun je nu makkelijk zeggen.'

'Luister!' schreeuwt Ria. 'Toen wij samen verkering hadden en ik in verwachting raakte, heb ik jou alleen alles eerlijk verteld en wilde ik het uitmaken met jou, maar je wilde zo snel mogelijk met mij trouwen en beloofde dat je het kind als je eigen kind zou aannemen als het geboren werd. Nu ga je moeilijk doen.'

'Het wordt ook moeilijk voor mij.'

'Waarom?'

'Omdat jij geen kinderen meer wilde,' antwoordt Vincent.

'Daar zijn we het samen over eens geworden. Je weet hoe moeilijk het is om met een vrouw getrouwd te zijn die een kind van haar stiefvader heeft. Nee, ik wilde geen kind meer, maar zelf wilde je het ook nooit en de laatste tijd blijf je daar maar over zeuren.'

'Dat is toch normaal?'

'Nee, voor mij niet. Je weet dat ik ziek ben, dat ik ... O, Vincent, waarom ben je zo veranderd? Wij waren de eerste jaren zo gelukkig. Je was zo lief voor mij en onze Francien.'

Vincent staat op en gaat naar binnen.

Ria blijft buiten zitten op het terras.

Dan ineens gaat de voordeur open en staat Francien in de kamer, nog met haar jack aan.

'Wat ben je vroeg?' vraagt Vincent aan zijn dochter.

Ze gaat recht tegenover Vincent staan en zegt: 'Wat is er met jullie?'

'Hoe bedoel je?'

'Waarom maken jullie elke dag ruzie om mij?'

'Om jou?'

'U wilt dat ik op kamers ga. Ik heb eens nagedacht. Welke vader wil nou dat zijn dochter uit huis gaat?'

'Dat kun je beter aan je moeder vragen,' antwoordt Vincent met een zucht.

Dan komt haar moeder binnen en vraagt: 'Waarom ben je zo vroeg terug? Ga je niet naar je vriendinnen?'

Francien kijkt haar moeder aan. Ze ziet dat ze gehuild heeft en zegt: 'Weer ruzie gehad om mij?'

'Doe even normaal … wil je?'

'Nee, dat wil ik niet. Pa doet de laatste tijd erg afstandelijk tegenover mij.'

'Hoe bedoel je?'

'Hij wil dat ik het huis uit ga.'

'Omdat je vaak te laat thuiskomt, is dat zo vreemd?'

'Ma, ik ben geen kind meer.'

'Toch moet jij je ouders gehoorzamen.'

'U bent niet zo. U begrijpt mij, maar pa doet net alsof ik een vreemde voor hem ben, u weet dat net zo goed als ik.'

'Dat lijkt maar zo, pa is druk met zijn werk en zo.'

'Druk met zijn werk! Huizen verkopen en opkopen. Is dat zulk zwaar werk? Het meeste laat hij opknappen door zijn personeel.'

'Je weet heel goed dat je vader een grote verantwoordelijkheid draagt over zo'n groot bedrijf.'

'Hij zit de hele dag achter zijn grote bureau en zet de mensen aan het werk.'

'Daar heeft je vader hard voor moeten werken.'

'O, ik dacht dat hij dit landgoed en het bedrijf van zijn vader heeft overgenomen.'

'Dat heeft hij ook, maar je vader moet alles beheren, dat weet je heel goed.'

Dan staat Vincent op vanuit zijn stoel en zegt: 'Je kunt hier beter weggaan. Het is nu wel genoeg!'

'Hoort u dat, ma?'

'Vincent, waarom zeg je dat?'

'Omdat ik het meen. Ik laat mij niet door zo'n snotneus beledigen!'

'Maar je kunt je eigen kind toch niet zomaar op straat zetten?'

'Voor mij is zij een vreemde!' roept Vincent kwaad.

'Oké,' zegt Francien. Ze rent naar boven en komt even later met een rugtas met kleren terug. Ze loopt de kamer door naar de hal.

Ria gaat voor haar staan en snikt: 'Nee Francien, Francien, je mag niet weggaan, alsjeblieft, je vader meent het niet zo.'

'Hij heeft geen dochter meer, u heeft het toch ook uit zijn eigen mond gehoord!' schreeuwt Francien naar haar vader. Ze duwt haar moeder aan de kant en rukt de deur open.

'Nee, Francien. Francien, luister nou!'

'Dacht u echt dat ik hier nog een minuut in huis blijf bij een vader die zegt dat ik zijn dochter niet meer ben?'

Francien gooit haar rugtas in de auto en gaat achter het stuur zitten.

Ria houdt het portier van haar auto vast en zegt: 'Misschien is het allemaal mijn schuld wel, blijf dan thuis voor mij, Francien?'

'Nee, u neemt altijd al de schuld op u, ik begrijp niet dat u het bij zo'n kerel kunt uithouden. Bent u soms om zijn geld met hem getrouwd?'

'Hoe kom je daar nu bij? Dat mag je niet denken. Nee ik houd veel van je vader en van jou. Kom nou maar mee naar binnen, dan kunnen wij er rustig over praten.'

Dan rukt Francien het portier van de auto naar zich toe en smijt het dicht. Ze geeft gas en rijdt weg van het grote landgoed van haar ouders.

Ria gaat naar binnen. Vincent zit in zijn stoel zijn krant te lezen. Ria rukt de krant uit zijn handen en zegt : 'Heb je nu je zin?'

'Ze wilde toch zelf graag het huis uit. Ze heeft vaak

genoeg geroepen dat ze op kamers wilde en dat ze dan net zo laat thuis kan komen als ze zelf wilde. Nou, dat heeft ze nu mooi voor elkaar.'

'Nee, Vincent, jij hebt haar de deur gewezen. Jij bent gemeen!' schreeuwt Ria met tranen in haar ogen.

'Ik laat mij niet beledigen door zo'n snotneus die nog nooit een vinger heeft uitgestoken om wat bij te verdienen. Uitgaan en lol trappen en veel drinken en roken. Het is niet normaal.'

'Waren wij vroeger beter?'

'Ik wel, ja.'

'Je dronk toen ook wel eens te veel en roken doe je nog.'

'Laat mij alsjeblieft met rust.'

'Nee, ik laat jou niet met rust.'

'Wat wil je dan?'

'Dat jij zorgt dat Francien weer naar huis komt en dat je haar aanvaardt als je dochter.'

'Dat heb ik altijd gedaan.'

'Waarom doe je dan de laatste tijd zo vreemd tegen haar?'

'Ze vraagt er zelf om,' zegt hij nors.

'Waar vraagt ze om?'

'Om moeilijkheden.'

'Als het je eigen kind was, ik bedoel, als ze echt een kind van jou zou zijn, zou je haar dan ook het huis uit gestuurd hebben?'

'Hoe kan ik dat nou weten? Ik heb geen eigen kinderen.'

Dan gaat Ria zitten. Ze laat haar hoofd zakken en snikt: 'Hoe moet het nu verder met ons?'

Vincent geeft geen antwoord.

'Als ik geweten had dat het zo zou aflopen, dan was ik nooit met je getrouwd,' snikt Ria.

'Waarom heb je het kind toen niet bij je ouders gelaten?' vraagt Vincent.

'Praat niet zo dom.'

'Dat zou helemaal niet zo dom zijn geweest.'

'Je weet heel goed dat mijn vader nooit heeft toegegeven dat hij met mij ...'

'Waarom heb je er nooit met je moeder over gesproken?'

'Dan zou hij mij vermoorden, mijn stiefvader was een driftige man. Hij gebruikte mijn moeder als een sloofje. Soms denk ik wel eens dat ze ervan wist, maar bang was voor hem.'

'Kon je er niet met de dokter of de dominee over praten?'

'Waarom haal jij na twintig jaar al die oude koeien uit de sloot?'

'Omdat ik er vaak over pieker en mij misbruikt voel,' antwoordt Vincent kort.

'Meen je dat, Vincent?'

'Ja.'

'Dan lijkt het mij verstandig dat ik ook bij je wegga en mijn dochter achternaga,' antwoordt Ria terwijl ze opstaat en de trap oprent.

Ria pakt een grote tas en stopt er wat kleren en spullen in.

Dan gaat de slaapkamerdeur open en staat Vincent in de deuropening. Hij vraagt: 'Kunnen we nog praten?'

'Waar wil je over praten?'

Vincent gaat op de rand van het bed zitten. Hij buigt zijn hoofd en snikt: 'Het is allemaal zo moeilijk, ik zit zo met mezelf in de knoop.'

Ria gaat naast hem op het bed zitten en houdt zijn hand vast.

Dan zegt Vincent: 'Weet je, jij bent een vrouw en een vrouw weet altijd dat het haar kind is en ook van welke man, en een man moet zijn vrouw geloven.'

'Toen ik met je trouwde, wist je heel goed dat het niet van jou was, maar van mijn stiefvader. Toen heb ik je alles eerlijk verteld, toen …' Verder komt Ria niet. Ze houdt haar handen voor haar gezicht en huilt zachtjes.

Vincent doet zijn armen om haar heen en drukt haar tegen zich aan.

'Hij heeft mijn jeugd kapotgemaakt, mijn jeugd is een zwarte bladzijde. Toen ik jou leerde kennen en je zo eerlijk en lief voor mij was, toen leerde ik een man kennen die eerlijk lief kon hebben en geen dingen deed die mijn vader deed. Ik wilde nooit een man. Het was achteraf ook verstandiger geweest, ik had het uit moeten maken.'

'Dat wilde jij ook, toen je mij alles eerlijk vertelde.'

'Vond je het toen niet moeilijk? Trouwde je niet uit medelijden met mij?' Ria kijkt hem met betraande ogen aan.

'Het was voor mij toen ook erg moeilijk, ik wist in het begin niet wat ik zou doen. Het was zo moeilijk te begrijpen dat een man zoiets zou doen, je eigen stiefvader die met jouw moeder getrouwd was.'

'Dat kon je niet geloven?'

'Nee, je vader gaf een vriend van jou de schuld en praatte zo onlogisch dat ik jou wel moest geloven.'

'Nu ga je eraan twijfelen?'

'Vaak wel,' geeft Vincent eerlijk toe.

'Hoe moet het nu verder? Soms ben ik bang dat Francien er zelf achter komt en dan denk ik er weleens over om het haar te vertellen. Maar hoe kun je zoiets aan een kind vertellen? Dat jij haar vader niet bent, maar dat die kerel haar vader was? Het is zo erg. Dan ben ik bang dat ze zichzelf wat aandoet of wij haar helemaal kwijtraken. Het zal haar ongelukkig maken. Toch wil ik het niet mee het graf in nemen. Soms weet ik het niet meer …' snikt Ria.

'We moeten er eens samen over praten en erover nadenken,' zegt Vincent, terwijl hij een traan wegveegt bij Ria en bij zichzelf.

2

Francien rijdt door de stad en stopt op een groot parkeerterrein. Ze overdenkt wat er die avond is gebeurd. Als ze zo
een tijdje in haar auto zit te piekeren, slaakt ze een diepe
zucht en wil als het ware al de zorgen van zich afschudden,
maar dat lukt niet. Is zij de laatste tijd zo veranderd, of haar
ouders? Nee, zij niet, nee, het zijn haar ouders. Haar vader
is stiller, hij en kan om niets kwaad worden en is afstandelijk geworden alsof ze een vreemde voor hem is. Maar doet
hij tegen moeder ook vaak niet zo en waarom had haar
moeder weer rood behuilde ogen en was haar vader kwaad
en wees hij haar de deur? Wil het niet meer met het huwelijk van haar ouders en heeft zij daar schuld aan? Waarom
heeft ze geen zus of broer? Wilden ze geen kinderen? Als
ze er om vroeg begon haar moeder ergens anders over en
zei dan: 'We hebben jou toch?'

Nee, het kan niet aan haar liggen. Haar ouders hebben
vaak ruzie over dingen die zij niet kent en dan zijn er die
huilbuien en dat komt niet alleen door haar vader. Toen ze
's morgens een keer onverwachts thuiskwam uit school, lag
haar moeder nog in bed, het was zeker al tien uur geweest.
Ze sliep nog, ze had pillen ingenomen. Het doosje lag op
haar nachtkastje. Ze kon haar moeder niet wakker krijgen.
Ze heeft toen haar vader gebeld die er binnen een kwartier
was. Haar moeder had te veel kalmerende tabletten ingenomen. Er mocht geen arts komen. Vader had haar rustig
laten liggen en zei tegen haar: 'Het valt wel mee, je moeder
slikt wel eens vaker te veel.' Hij had gelijk, na een uurtje
werd ze wakker en ze kreeg toen een vreselijke huilbui. Ze
noemde steeds Franciens naam en Francien moest bij haar

blijven. Haar moeder was heel apathisch. Als Francien er nu aan denkt krijgt ze nog kippenvel op haar armen.

Ze schrikt op uit haar gedachten als er een paar jongens op het raam van haar auto tikken en vragen: 'Gaat het een beetje?'

Francien knikt en wil de motor van haar auto starten. Dan opent een van de jongens het portier en zegt: 'Hé, ben jij het, Francien?'

Ze kijkt in de ogen van Simon Heinzen.

'O, ben jij het,' antwoordt Francien.

'Heb je te veel gedronken of ben je niet goed geworden?'

'Hoezo?'

'Je zit zeker al een uur in je auto.'

'Mag dat niet?' antwoordt Francien die weer tot de werkelijkheid terugkeert.

'Van mij wel, maar als je hier in je eentje blijft zitten zo laat op de avond, lijkt mij dat niet erg verstandig.'

'Wat is daar mis mee?'

'Voor hetzelfde geld overvallen ze je of zo.'

'Maak je niet zo druk om mij.'

'Heb je zin om met ons mee te gaan?' vraagt Simon wat verlegen.

Ze kijkt Simon aan. Ze kent hem van de middelbare school, ze weet dat hij een boerenzoon is.

'Waar gaan jullie heen?'

'Een pilsje pikken, volgens mij heb je dat hard nodig.'

'Oké.'

Francien stapt uit haar auto en sluit die af.

'Je hebt een leuke auto, volgens mij is hij gloednieuw.'

'Dat klopt, ja.'

'Haar vader is schatrijk,' zegt de andere jongen die al wat gedronken heeft.

Ze lopen de markt over en komen in een smalle straat. Op de hoek van de straat gaan ze een café binnen. Ze nemen plaats aan de bar op een kruk.

Er wordt druk door elkaar gepraat. Hoe later op de avond, hoe ruwer de taal wordt in het café. Francien drinkt een paar glazen bier. Ze heeft in de gaten dat Simon steeds bij haar blijft zitten terwijl andere meisjes hem steeds aanhalen. Hij is dan ook een knappe verschijning, groot en breed. Echt zoals een boerenzoon eruit moet zien.

'Heb je moeilijkheden?' vraagt Simon dan ineens terwijl hij haar aankijkt met zijn donkere bruine ogen.

'Nee, hoezo?'

'Je bent erg stil.'

'Jullie maken lawaai genoeg,' lacht Francien gemaakt.

'Wil je soms naar huis?'

'Ik weet de weg naar huis,' lacht Francien met dezelfde lach op haar gezicht.

'Daar gaat het niet om.'

'Zit je soms over mij in of zo?'

'Francien, die glazen bier hebben bij jou een verkeerde inslag.'

'Ik zou niet weten waarom.'

'Het is al laat.'

'Mag jij na twaalven wel thuiskomen?' vraagt Francien met een gemeen lachje.

'Nee, eigenlijk niet.'

'Dan mag je nu wel opschieten.'

'Daarom vraag ik of je ook niet naar huis moet?'

'Nee, niet per se.'

'Krijg je geen moeilijkheden met je ouders?'

'Waarom?'

'Omdat het al laat is.'

'Waarom ga je dan zelf niet naar huis en maak jij je druk om mij?'

'Francien, ik stap op en breng jou naar je auto, oké?'

'Nou, als jij dat zo graag wilt, boertje,' zegt ze wat gemeen.

'Ach ja, die moeten er ook zijn,' lacht Simon vrolijk.

Ze stappen op. Simon rekent af.

'Ik betaal zelf,' zegt Francien als Simon voor haar wil betalen.

'Zoals je wilt, daar maak ik geen probleem van,' lacht Simon.

Ze wandelen samen naar het parkeerterrein waar de auto van Francien staat. Als ze dicht bij haar auto komen, schrikt Francien.

'Moet je die jongens zien.'

'Die zitten op jouw auto,' zegt Simon kort.

Vier jongens hangen tegen haar auto en een van hen zit op de motorkap.

'Blijf jij hier even staan,' zegt Simon terwijl hij rustig naar de jongens toe loopt. Simon, die groot en breedgebouwd is, loopt recht op de jongen af die op de motorkap zit en vraagt: 'Wat moet jij op de motorkap van die auto?'

De andere jongens gaan om Simon heen staan. De jongen op de motorkap lacht met een gemeen lachje op zijn gezicht en zegt: 'We hebben op jullie auto gepast. Oké toch?'

'Wat wil je daarmee zeggen?' vraagt Simon, de jongen aankijkend terwijl de andere jongens nog dichter bij Simon komen staan.

'Dat wij geld willen hebben.'

'Waarvoor?'

'Kom op met je geld, wij zitten hier niet voor niks op jullie auto te passen.'

Simon gaat dichter naar de jongen op de motorkap en zegt met een harde stem: 'Kom van die motorkap af!'

'Ook nog een grote mond?'

Voor de jongen kan reageren grijpt Simon de jongen beet

en tilt hem op. De andere jongens willen Simon trappen en stompen, maar Simon smijt de jongen op de grond en geeft de anderen met een snelle beweging een paar klappen met zijn grote vuisten. Dan staat de jongen die op de grond lag, op, met een mes in zijn handen. De andere jongens krijgen nu ook weer moed en pakken Simon beet en houden hem vast, terwijl de jongen met zijn mes op Simon afkomt.

Dan pakt Simon een van de jongens beet, maar dan is daar de jongen met het mes, en voor Simon het merkt steekt hij Simon in zijn buik.

Simon zakt in elkaar. Francien slaakt een gil en rent naar hem toe. Ze gaat op haar knieën bij hem zitten en ziet dat er bloed door zijn overhemd komt. De jongens die hem te pakken hebben genomen verdwijnen in het donker.

Dan is Francien goed bij haar positieven. Ze pakt snel haar mobieltje uit de zak van haar jack, toetst het nummer 112 in en meldt de steekpartij.

Er komen meer jongelui bij. Er is er een bij die EHBO heeft en vraagt of Francien een verbanddoos in haar auto heeft. Zonder te antwoorden pakt ze snel de verbanddoos uit haar auto en geeft die aan het meisje, dat snel een noodverband aanlegt en op de wond drukt en zo probeert het bloeden te stoppen.

Dan horen ze de sirene van een politieauto en daar achter de ambulance.

De politieman vraagt of er getuigen bij zijn. De ambulancebroeders doen een stevig drukverband op de buikwond. Simon wordt snel in de ambulancewagen gereden.

'Ben jij zijn meisje?' vraagt een van de broeders aan Francien.

'Ja.'

'Wil je mee naar het ziekenhuis?'

'Ja.'

Ze stapt in de ambulancewagen naast de chauffeur, terwijl de andere broeder naast Simon achter in de ambulance zit. Simon heeft veel pijn en klemt zijn tanden op elkaar van de pijn.

'Heb je erge pijn?' vraagt de broeder.

'Ja.'

'Rustig maar, we zijn zo in het ziekenhuis.'

Simon knikt.

Ze rijden de hal van het ziekenhuis binnen waar de eerste hulp is.

Snel rijden ze Simon op een brancard naar de eerstehulppost. Francien loopt ernaast en kijkt angstig naar Simon.

Dan wordt Simon een kamertje in gereden en staan er verpleegkundigen klaar. Ze leggen hem op een smal bed.

Francien mag erbij zijn en vertelt wat er gebeurd is. Ze is overstuur en snikt: 'Redt hij het wel, is het erg?'

Een verpleegster komt bij haar staan. Ze biedt haar een stoel aan en zegt: 'Rustig maar, het komt best weer goed, hij is in goede handen.'

'Maar het is allemaal mijn schuld.'

'Jij hebt toch niet het mes in zijn buik gestoken?'

'Nee, dat niet, maar het was mijn auto, hij deed het allemaal voor mij.'

'Dat zou mijn vriend toch ook doen,' antwoordt de verpleegkundige vriendelijk.

Dan wordt Simon naar een andere afdeling gereden om snel geopereerd te worden.

Francien gaat samen met een verpleegkundige naar een kamertje.

'Wil je koffie?' vraagt de verpleegkundige.

Francien knikt. Even later komt de verpleegkundige met twee mokken koffie. Ze gaat bij Francien zitten en vraagt: 'Gaat het een beetje?'

Francien neemt een paar slokken koffie. Ze moet met beide handen haar mok vasthouden, zo beven haar handen, en ze vraagt: 'Komt het weer goed met Simon?'

'Ze gaan nu kijken wat er beschadigd is en dan gaan ze opereren waar het nodig is,' legt de verpleegkundige uit.

'Maar ... maar hij kan ook doodgaan?'

'Niet zo negatief denken. Hij is nu in goede handen en hij was nog goed aanspreekbaar. Het is een flinke kerel, die vriend van jou.'

'Ja, maar als ...'

'Heb jij het nummer van zijn ouders?'

'Nee.'

'Weet jij zijn adres?'

'Nee.'

'Het is toch een vriend van je?'

'Nou nee.'

'Mag ik dan weten wat hij wel van je is, als je mij niet te brutaal vindt?'

'Ik ken hem van de middelbare school en ik ontmoette hem vanavond toevallig.'

'Toch moeten zijn ouders weten dat hij hier in het ziekenhuis ligt.'

'Heeft u al in zijn jack gekeken?'

'Dat jack had ik nog niet zien liggen, dat is een goed idee. Wij dachten dat jij wel wist waar hij woonde.'

'Ik vind het zo erg.'

'Je moet nu flink zijn.'

'Maar het is allemaal mijn schuld!'

'Die jongens hebben het toch gedaan. Ken jij die jongens?'

'Nee, het waren vreemden.'

'O, dan kun jij er toch niks aan doen. Ze waren zeker jaloers op hem, hij met zo'n knap meisje,' vrolijkt de verpleegkundige Francien een beetje op.

'Nee, dat weet ik niet.'

Dan wordt er op de deur geklopt.

'Ja, binnen,' zegt de verpleegkundige. Dan staan er twee agenten van politie in de deuropening.

'Mogen wij u even spreken in verband met die steekpartij. U was er toch ook bij?'

'Ja.'

De agenten komen binnen en stellen zich voor.

'Zal ik even koffie voor jullie halen?' vraagt de verpleegkundige.

'Als dat zou kunnen, graag,' antwoordt een van de agenten.

'Wil jij ook nog koffie, Francien?'

'Ja, graag,' antwoordt Francien wat verlegen als er twee agenten bij haar zitten.

'Gaat het een beetje?' vraagt de vrouwelijke agent.

Francien geeft geen antwoord en laat haar hoofd zakken. Ze huilt zachtjes.

De agente legt een arm om haar schouder en vraagt: 'Weet je al wat van de artsen?'

'Nee, als hij doodgaat ...' snikt Francien.

'Het is een flinke jongen, het zal wel meevallen,' zegt de andere agent.

Dan komt de verpleegkundige met een dienblad met koffie.

'Een agent is in de late dienst wel aan koffie toe en vooral in het weekend als er zulke dingen gebeuren,' zegt een van de agenten.

'Wil je dat ik er bij blijf?' vraagt de verpleegkundige aan Francien.

'Heeft u zijn ouders al ingelicht?' vraagt Francien aan de verpleegkundige.

'Ja, hij had een rijbewijs in zijn jack. We hebben zijn

ouders gebeld. Ze komen zo snel mogelijk hierheen,' antwoordt de verpleegkundige.

Francien knikt.

'Als je mij ergens voor nodig hebt, dan druk je maar op die rode knop.'

Opnieuw knikt Francien.

'Zo, dat was geen fijn avondje voor jullie,' begint een van de agenten.

'Nee.'

'Wat is er ongeveer gebeurd?'

'Wij kwamen uit een café en liepen naar mijn auto en toen zat er een jongen op de motorkap van mijn auto en er stonden nog een paar jongens om de auto,' legt Francien uit.

'Wat gebeurde er verder?'

'Ze wilden niet van mijn auto af gaan en toen greep Simon een van de jongens beet die op de motorkap zat en toen vielen ze hem aan en toen … toen stak een van die jongens Simon met een mes,' snikt Francien.

De agente legt haar hand op haar arm en zegt: 'Wij begrijpen dat je overstuur bent, maar het is onze plicht je te ondervragen. Wij moeten de dader oppakken.'

'Ja.'

'Ken je ze?'

'Nee.'

'Niet een van hen?'

'Nee, nee, echt niet.'

'Zou je ze herkennen als wij ze te pakken krijgen?'

'Misschien wel.'

'Dus ze zaten op jouw auto?'

'Ja.'

'Hadden ze gedronken?'

'Dat weet ik niet.'

Ze stellen Francien nog een paar vragen en nemen dan

afscheid van haar. Ze zal wel horen hoe het verder afloopt als ze die jongens te pakken krijgen. De agenten wensen haar sterkte toe.

Als ze een tijdje alleen in het kamertje zit, gaat de deur open en komen er een vrouw en een man binnen die zich voorstellen als de vader en moeder van Simon.

Als ze zitten en de verpleegkundige opnieuw koffie binnenbrengt, buigt Francien haar hoofd en huilt zachtjes.

'Ach, kind, je bent helemaal overstuur, is het niet?' vraagt de moeder van Simon.

Francien knikt en droogt haar tranen.

'Het is tegenwoordig wat, ze steken elkaar overhoop om niks. Die jongen van ons doet geen vlieg kwaad,' bromt dan de vader van Simon.

'Als het maar goed afloopt. Mag ik weten hoe je heet?' vraagt de moeder van Simon dan.

'Francien.'

'Francien wat?'

'Francien Milder.'

'Ben jij de dochter van die projectontwikkelaar of zakenman die in dat grote landhuis woont?'

Francien knikt verlegen, alsof zij zich schaamt om haar ouders tegenover deze eenvoudige mensen die hard moeten werken met hun handen om de kost te verdienen terwijl haar ouders schatrijk zijn.

'Dus jij bent er een van die Milder,' zegt Simons vader op een wat minachtende manier.

'Ken je onze Simon goed?' vraagt zijn moeder.

'Ja, van de middelbare school en we kwamen elkaar toevallig tegen,' antwoordt Francien wat verlegen.

'Dus jullie hebben niks met elkaar?' vraagt Simons vader.

'Nee, dat niet.'

'Als het nou maar goed gaat met onze Simon,' zegt de moeder van Simon nerveus.

3

Diezelfde avond neemt Ria als ze naar bed gaat een slaap-
tablet in, omdat ze erg overstuur is. Ze valt algauw in een
diepe slaap.

Ze ziet zichzelf als een kind bij haar moeder. Steeds komt
een vreemde man bij haar moeder en na een jaar moet ze
papa tegen hem zeggen. Haar moeder trouwt met hem. Nu
heeft ze net als andere kinderen ook weer een vader. Hij
speelt soms met haar, het zijn rare spelletjes. Hij wil dingen
met haar spelen die ze niet fijn vindt. Ze heeft een geheim
met haar tweede vader. Haar moeder mag daar niet van
weten. Ze droomt van dat vreselijke spel dat hij met haar
speelt. Ook als ze ouder wordt, blijft het doorgaan, dan
wordt het zelfs zo erg dat hij haar slaat als ze niet gehoor-
zaamt. Ze ziet haar moeder vaak angstig kijken naar die
man die geen echte vader voor haar is, maar haar misbruikt.
Ze hoort ook vaak haar moeder gillen en ziet haar vaak huilen. Ze is bang voor die vreselijke man die als een geliefde
man en vader bij hen in huis kwam. Ze dacht een vader te
hebben. Ze leefde vaak tussen fantasie en werkelijkheid. Ze
werd ouder, op school ging het mis. Ze werd vaak geplaagd.
Ze had geen vriendinnen. Ze kon niet spelen zoals andere
kinderen. Ze droeg een geheim bij zich en was vaak lichamelijk en geestelijk ziek. Als ze klaagde tegen haar moeder,
dan zei haar moeder dat ze flink moest zijn en haar vader
moest gehoorzamen. Ze leefde in een hel. Ze heeft er
nachtmerries van overgehouden. Toen ze twintig was kreeg
ze een vriend. Hij was niet zomaar een vriend, maar een
soort broer voor haar. Ze leerde hem kennen vanuit de kerk
op de club. Hij was ook een eenzame jongen. Ze waren

samen eenzaam tussen al die anderen. Toen hij haar voor het eerst zoende, werd ze bang voor hem en liep ze weg van hem. Er leefde een soort angst in haar. Hij was ook een man. Zou hij hetzelfde van haar willen zoals die man die haar stiefvader is? Vincent, haar vriend, hield vol en liep haar overal na. Ze ging ondanks haar angst toch van hem houden. Hij was een eerlijke jongen. Te eerlijk en te goed voor deze wereld. Ze had eigenlijk niemand meer waar ze echt van kon houden. Hij kon die wond diep in haar hart ook niet genezen. Ze kon er ook niet met hem over praten. Totdat ze ziek werd. Ze was zwanger, zei de huisarts tegen haar. Haar ouders wilden weten van wie het was. Toen barstte de bom in haar en wees ze haar stiefvader aan. Hij sloeg haar vreselijk. Ze is het huis uit gevlucht. Vincent heeft haar gevonden op een geheime plaats dicht bij een boerderij waar ze elkaar vaak ontmoetten. Ze huilde vreselijk en lag in zijn armen en vertelde hem alles. Vincent huilde met haar mee en kuste haar ondanks dit vreselijke dat ook gevolgen voor hem zou hebben, maar als ook toen dat vreselijke over haar stiefvader hoorde kon zijn liefde voor haar niet geblust worden. Hij kreeg haar nog meer lief.

Zijn ouders wisten dat hij een meisje had. Hij nam haar mee naar huis. Zijn ouders die op het landgoed woonden waar zij nu woont, vingen Ria met liefde op. Vincents vader ging met haar stiefvader praten, maar er ontstond een vreselijke ruzie. Haar stiefvader hield vol dat ze met een andere jongen ging en daarvan in verwachting was. Ze bleef bij de familie Milder in het grote landhuis wonen totdat ze gingen trouwen en haar dochter Francien werd geboren. Ze kreeg het moeilijk. Zou Vincent haar kind kunnen accepteren? Het moest lijken dat het kind van Vincent was, de zoon van de rijke grootgrondbezitter en projectontwikkelaar.

Ria werd wakker uit een boze droom die werkelijkheid bevatte.

Ze knipt het nachtlampje op haar nachtkastje aan en ziet dat Vincent niet naast haar ligt. Ze staat op en gaat naar beneden. Ze vindt hem in de kamer in het donker, in zijn stoel.

'Kon je niet slapen?' vraagt hij als ze het licht aanknipt. Ze geeft geen antwoord en gaat op de bank zitten. Hij staat op en gaat naast haar zitten, vraagt: 'Wat is er?'

Ze houdt dan haar handen voor haar gezicht en snikt: 'Het is allemaal zo moeilijk, alles moet ik steeds weer opnieuw doormaken in mijn dromen! Waarom leef ik eigenlijk? Wat is er met mij gebeurd en waarom moet dit allemaal mij overkomen? Door mij is jullie leven ook kapotgemaakt.'

'Rustig, lieverd.'

'Niks rustig, het is de waarheid.'

'Wat is de waarheid?'

'Dat ik nooit met je had moeten trouwen, ik had … ik had het kind weg moeten laten halen, dan was jij ook gelukkig en ik misschien ook en was er geen kind geweest. Nu is ze ergens alleen, midden in de nacht. Ze heeft recht op een echte moeder en vader. Zij mag niet ongelukkig worden door mijn verleden.'

'Het komt heus wel weer in orde.'

'Nee, Vincent, je vindt het nu ook erg en krijgt er nu ook moeite mee. Je hebt het zelf gezegd, je denkt er niet meer zo over als vroeger, wees nou eerlijk.'

Vincent legt zijn arm om haar heen, drukt haar tegen zich aan en laat nu ook zijn tranen gaan. Hij kust haar en fluistert: 'Je weet toch dat ik niet zonder jou kan, we moeten samen verder.'

'Maar Francien dan, het is toch ons kind,' snikt Ria.

Vincent neemt het gezicht van Ria tussen zijn handen en fluistert: 'Ik zal zorgen dat Francien weer thuiskomt en ik zal een vader voor haar zijn.'

'Dat heb je mij ook beloofd, Vincent.'

'Dat is zo, schat.'

'Heb je nog steeds twijfels dat mijn stiefvader niet de vader van Francien is, maar die schoolvriend van vroeger?'

'Nee.'

'Weet je het zeker?'

'Het is voor mij ook moeilijk, toch moet ik je geloven dat ik alles van het verleden van je weet.'

'Dat weet je toch?'

'Dat is zo.'

'Ik leefde in een hel, je ouders die met ons meeleefden geloofden mij wel.'

'Ik had lieve ouders, vaak mis ik ze erg,' zegt Vincent.

'Je was een verwend kind.'

'Dat kan wel waar zijn, maar wat een verschil tussen jouw ouders en die van mij.'

'Ik heb ook lieve ouders gehad. Mijn eigen vader was ernstig ziek en is vroeg gestorven en daarna heb ik lang samen met mijn moeder geleefd. Zij was goed voor mij, totdat ze ging hertrouwen met die vreselijke man die niet genoeg had aan een vrouw en mij al op jonge leeftijd gebruikte. Ik heb in een hel geleefd. Wat was ik gelukkig met jou en onze dochter Francien, al was zij ook van die vreselijke man. Toch is het ook mijn kind en ik zal voor haar blijven vechten.'

'Het is toch ook mijn kind, Ria?' zegt Vincent dan met zachte stem.

'Ja, lieverd.'

'Ik ga zo wel op onderzoek uit om haar op te sporen,' zegt Vincent dan.

'Waar zal ze heen zijn?'

'Misschien naar een vriendin.'

'Dat zou kunnen.'

'Het is gevaarlijk op straat voor een meisje.'

'Zal ik haar nu maar gaan zoeken?'
'Nee, wacht maar tot het licht wordt.'
'Waar moet je zo'n kind zoeken?'

Dan gaat ineens de telefoon en is er een onbekende stem aan de lijn: 'U spreekt met de eerstehulp-afdeling van het ziekenhuis. Het gaat om Francien Milder. Is dat uw dochter?'

'Ja, dat klopt.'

'Ze is erg overstuur, omdat ze zijdelings bij een ongeval betrokken is geweest. Kunt u hier naartoe komen om haar op te halen? Ze is niet gewond.'

'Natuurlijk, zeg maar dat het goed is en dat ik eraan kom,' antwoordt Vincent terwijl hij de hoorn teruglegt op het toestel.

'Wat is er gebeurd met Francien?'
'Ze is in het ziekenhuis.'
'Is het erg?'
'Ze is wat overstuur.'
'Heeft ze een ongeluk gehad?'
'Nee, het heeft wel met een ongeluk te maken.'
'Is ze niet gewond?'
'Volgens die zuster was er verder niets aan de hand en kunnen we haar ophalen op de eerstehulp-afdeling.'
'Zal ik meegaan?'
'Als je dat per se wilt.'
'Dan kleed ik mij snel aan.'
'Dat is goed,' antwoordt Vincent.

Even later zitten ze in de auto en rijden ze naar de stad richting het ziekenhuis. Vincent parkeert zijn auto in een van de grote parkeergarages.

Ze lopen snel naar het ziekenhuis via een lange gang vanuit de garage van het ziekenhuis.

Als ze bij de balie komen en Vincent vraagt waar zijn

dochter ligt, antwoordt de verpleegkundige: 'Er is wel een jongeman door een steekpartij hier binnengebracht, maar geen meisje.'

'Ze hebben ons gebeld vanuit het ziekenhuis,' legt Vincent uit.

'Dan zal ik even informeren, gaat u daar maar even zitten.'

Ze gaan alle twee in een soort wachtkamer zitten. Even later komt een verpleegkundige naar hen toe.

'U komt voor uw dochter?'

'Ja.'

'U bent de familie Milder?'

'Het gaat om onze dochter Francien,' zegt Ria terwijl ze opstaat.

'Komt u maar mee.'

Ze volgen de verpleegkundige.

'Is het ernstig?' vraagt Ria.

'Met de jongen wel.'

'Welke jongen?'

'Haar vriend.'

'O.'

Er wordt een deur opengedaan van een van de kamertjes. Ze zien Francien alleen op een stoel zitten. Als Francien haar ouders ziet, snikt ze: 'Het is zo erg, ma.'

'Wat is er gebeurd met je?'

'Met mij niks.'

'Wat doe je hier dan?'

'Ze hebben Simon met een mes gestoken.'

'Wie is Simon?'

'Ik ontmoette hem toevallig.'

'Kende je hem verder niet, is het een vreemde jongen?'

'Nee, ik kende hem van de middelbare school en zo.'

'Was jij ook bij die steekpartij betrokken?'

'Ja, hij wilde mij beschermen en toen ...' Nu laat

Francien zich in de armen van haar moeder vallen.

'Maar kind toch … is het zo ernstig?'

'Ja, zijn ouders zaten net nog hier in de wachtkamer, ze zijn nu bij hem.'

'Dan moet het wel ernstig zijn met hem.'

Ze gaan alle drie zitten. Vincent heeft het moeilijk. Hij heeft immers deze avond zijn dochter op straat gezet.

'Wil je niet liever mee naar huis?' vraagt Ria.

'Nee, ik wacht op Simon, als hij doodgaat …'

'Dat zal toch niet?'

'Zal ik aan een van de verpleegkundigen vragen hoe het met hem is?' vraagt Vincent dan terwijl hij opstaat.

Francien knikt.

Vincent gaat de gang op en vraagt aan een van de verpleegkundigen hoe het met de jongen is die vannacht met een mes is gestoken.

'Gaat u maar terug naar uw dochter. De arts komt zo bij u,' antwoordt de verpleegkundige.

Als ze een kwartier in het kamertje zitten, komen de ouders van Simon het kamertje binnen. Ria en Vincent geven hun een hand. Ria vraagt: 'Hoe gaat het met uw zoon?'

Simons moeder kan geen antwoord geven. Haar ogen zijn rood van het huilen. De vader van Simon zegt met een zachte stem vol emotie: 'Het ziet er niet best uit, hij is geopereerd, er zijn veel inwendige bloedingen. Hij is nog niet uit de narcose.'

'Gaat hij niet …?' snikt Francien.

'Wij hebben hoop en de artsen ook,' antwoordt de vader van Simon.

Vincent merkt dat het boerenmensen zijn. Ook de vader van Simon heeft hij wel eens ontmoet in verband met het verkopen van land waar nu huizen op worden gebouwd. Vincent vraagt: 'Wij hebben elkaar wel eens vaker ontmoet?'

'Dat klopt, ja.'

'Er wordt nu flink gebouwd op dat stuk grond dat u aan mij hebt verkocht.'

'U zult er wel flink aan verdiend hebben,' antwoordt Simons vader.

'Daar ben ik zakenman voor,' antwoordt Vincent.

'Ach, boeren trekken altijd aan het kortste eind.'

'U kon toch zelf de prijs bepalen?'

'Was dat maar waar, als ik het niet aan u had verkocht, dan had de gemeente het wel onteigend,' zegt de vader van Simon kort.

'Dat wist ik niet,' zegt Vincent.

'Nee, zakenmensen weten nooit iets. Wij boeren raken steeds meer land kwijt.'

'Daar heeft u gelijk in.'

'En dan willen ze dat we de dieren meer op het land laten lopen en niet in loodsen.'

'Houden jullie nou eens op, er zijn wel belangrijker dingen. We zitten hier in een ziekenhuis,' zegt de moeder van Simon.

'U heeft gelijk,' zegt Francien, die kwaad naar haar vader kijkt.

Dan gaat de deur open en komt er een man binnen met een witte jas. Hij geeft hun allen een hand, gaat op een van de stoelen zitten en legt uit hoe de operatie is verlopen.

'Dus hij komt er wel doorheen?' vraagt de vader van Simon.

'Dat zal wel lukken.'

'Moet hij lang hier blijven?'

'Dat hangt van de situatie af.'

'Hoe bedoelt u?'

'Er zijn inwendige lichaamsdelen geraakt, wij hebben dat zo veel mogelijk hersteld, maar of er blijvend letsel is, dat moeten wij nog afwachten,' legt de arts uit.

Het is een tijdje stil.

'Mogen wij nog bij hem kijken?'

'Even om de hoek van de deur kijken kan geen kwaad. Hij is nog niet helemaal bij en wordt in de gaten gehouden door verpleegkundigen.'

'Goed, dan gaan wij even bij hem kijken,' zegt zijn vader terwijl hij zijn vrouw aankijkt en dan opstaat.

De moeder van Simon kijkt Francien aan en vraagt: 'Wil je ook bij Simon kijken?'

'Ja, graag,' antwoordt Francien terwijl ze opstaat en Simons ouders volgt.

'Wij wachten hier wel op je, Francien,' zegt Ria tegen haar dochter.

Francien knikt alleen maar.

Als ze weg zijn, zegt Vincent: 'Als ze maar met ons mee wil.'

'Waarom niet, ze hebben ons toch vanuit het ziekenhuis gebeld.'

'Dat wel, ja, maar ik heb haar de deur uit gejaagd.'

'Dan praat je zo eerst maar met haar als ze terugkomt.'

'Ze zal toch niet met Simons ouders meegaan?'

'Ik heb toch gezegd dat we hier op haar wachten.'

Vincent geeft geen antwoord en gaat wat voorover zitten.

Even later gaat de deur open en komt Francien binnen met rood doorlopen ogen van het huilen.

Ria staat op en omhelst haar dochter.

'Gaat het?'

'Ja, hij slaapt nog,' antwoordt Francien.

'Zolang hij nog rustig slaapt heeft hij ook geen pijn, moet je maar denken,' zegt Vincent.

'U weet niet wat u zegt!' valt Francien dan uit.

'Neem het mij niet kwalijk, ik bedoel het goed,' zegt Vincent dan snel.

'Ga je mee naar huis, Francien?'

'Waarom zou ik?' vraagt Francien terwijl ze haar vader aankijkt.

Vincent staat op. Hij legt zijn hand op haar schouder en zegt: 'Het spijt mij van vanavond ... ik ben te ver gegaan.'

'Wat heeft u tegen mij?' vraagt Francien kort.

'Niks, ik ... nou ja, het gaat niet zo goed op de zaak,' liegt Vincent.

'Boeren afzetten en hun land inpikken en er dure huizen op zetten. Heeft u het daar ook moeilijk mee?' zegt Francien pittig.

'Nou ja.'

'Francien, laten we er thuis rustig over praten, je vader heeft er spijt van.'

Francien geeft geen antwoord en gaat met haar ouders mee.

Ze lopen naar de parkeergarage. Het is ondertussen buiten al licht geworden. Vogels fluiten en de natuur laat zich opnieuw in al haar glorie zien.

Ze stappen in de grote wagen van Vincent en rijden de garage van het ziekenhuis uit.

Als ze de stad uit rijden en het dorp in rijden naar het grote landgoed, dan is er onderweg nog geen woord gesproken.

Ria piekert over haar dochter die een vriend heeft waar ze thuis nog nooit over heeft gesproken. Waarom niet, en wie is die jongen? Volgens haar kent ze die jongen pas kort. Wat heeft het voor zin om zich daar nu druk om te maken? Ze wil dat haar dochter een beter leven zal krijgen en daar zal ze voor vechten. Ze rijden de grote oprijlaan op, stappen uit en gaan naar binnen.

Francien rent gelijk naar boven en roept: 'Laten jullie mij voorlopig met rust!'

4

Simon heeft twee weken in het ziekenhuis gelegen. Francien heeft hem vaak opgezocht in het ziekenhuis. Ze hadden samen fijne gesprekken. Ze heeft Simon leren kennen als een natuurmens, die moet je niet in een kantoor tussen vier muren zetten. Hij heeft het dan ook erg moeilijk gehad die twee weken dat hij in het ziekenhuis lag. Nee, hij zou geen man zijn die een baan heeft van acht tot vijf en in een kantoor moet werken. Hij gaat nog naar de landbouwhogeschool. Hij probeert nu zoveel mogelijk zijn studie thuis bij te houden. De klassenleraar van de school zorgt dan ook dat hij zo veel mogelijk materiaal thuis krijgt om zijn studie voort te zetten. Zijn vader, die alleen de boerderij runt en hulp had van Simon als hij thuis was van school en in de vakantie, mist hem nu erg. Er is altijd veel te doen op een boerderij. Er is al veel automatisch, maar van veel van die computerzaken heeft hij geen verstand. Vooral toen Simon in het ziekenhuis lag kwam zijn vader vaak in moeilijkheden. Als je een boerderij hebt en al op leeftijd bent en je zoon in het ziekenhuis ligt, dan moet je vaak andere mensen inschakelen.

Nu is Simon wel thuis, maar heeft nog veel last van zijn steekwond.

Francien kent de ouders van Simon door haar bezoek in het ziekenhuis, maar ze is nog nooit bij hem thuis geweest en daar ziet ze vreselijk tegenop. Ze stelt het steeds uit. Ze heeft hem al een keer een kaart gestuurd. Ze vindt het moeilijk hem thuis zomaar op te zoeken. Wat zouden ze wel niet denken. Ze heeft toch geen verkering met hem.

'Moet jij die jongen niet eens thuis opzoeken, Francien?' vraagt haar moeder als Francien op een middag uit school komt.

'Ik heb hem een kaart gestuurd en hem in het ziekenhuis vaak opgezocht,' antwoordt Francien.

'Dus je wilt verder geen omgang met hem?'

'Hoe bedoelt u?'

'Nou ja, ik dacht zo ...'

'Wat dacht u?'

'Dat je meer voor hem voelde dan zomaar een vriend,' antwoordt Ria voorzichtig.

'Meer dan een vriend?'

'Niet dan, of heb ik het mis?'

'Hij is geen vriend en zeker niet meer dan dat.'

'Nou ja, je kunt hem toch opzoeken? Hij heeft je die nacht beschermd tegen die jongens. Ja toch?'

'Nou ja.'

'Zal ik met je meegaan?'

'U denkt zeker dat ik alleen niet durf?'

'Het zou kunnen,' lacht Ria die in de keuken bezig is.

'Vindt u het dan niet gek als ik hem thuis zomaar opzoek?' vraagt Francien wat moeilijk.

'Ik denk dat hij er wel op rekent.'

'Dat geloof ik niet.'

'Waarom niet?'

'Hij is heel anders dan wij, zo ...'

'Een boerenjongen, wil je zeggen?'

'Ja.'

'Wat is daar mis mee?'

'Soms is hij erg stil en weet ik even niet wat ik zeggen moet,' bekent Francien eerlijk.

'Dan praat je over koetjes en kalfjes, hij is immers een boerenzoon,' lacht haar moeder.

'U denkt er makkelijk over. Het zijn altijd nog vreemde mensen voor mij en zeker zijn ouders.'

'Je hebt toch geen mensenvrees?'

'Nee, dat niet.'

'Zie je ertegenop?'

'Eerlijk gezegd wel.'

'Ik heb je al aangeboden met je mee te gaan.'

'Ik zie mij al aankomen aan de hand van mijn moeder.'

'Je moet zelf een beslissing nemen. Hoe lang is hij nu al thuis?'

'Ruim een week.'

'Dan zal hij je vast al missen,' plaagt Ria.

'Doe even gewoon, ma.'

'Die jongen heeft het moeilijk gehad en zoals jij vertelde kan hij nog niet goed bewegen.'

'Dat is zo, ja.'

'Moeilijk voor een boerenjongen.'

'Waarom is dat moeilijker voor een boerenjongen dan voor een andere jongen?'

'Zijn vader zal hem wel missen op de boerderij.'

'Weet ik veel.'

'Ben je nooit op een boerderij geweest?'

'Een keer op een verjaardag van een schoolvriendin, niks voor mij, het stinkt er.'

'Ik dacht nog wel: misschien wordt mijn dochter een boerin,' grapt Ria.

'Ziet u het voor u?'

'Nee, niet echt,' lacht Ria terwijl ze haar tranen wegveegt van het uien schoon maken.

'Hij is druk met zijn huiswerk.'

'Op wat voor school zit hij?'

'Landbouwhogeschool.'

'Hoe weet je dat?'

'Hij was in het ziekenhuis al bezig met zijn huiswerk.'

'Daar kun je dan een voorbeeld aan nemen.'

'Ik red het wel op school, dat weet u ook wel.'

'Weet je al wat je straks gaat doen?'

'Niet echt.'

'Je vader rekent op je als enige dochter.'

'Dat moet hij dan maar snel uit zijn hoofd zetten.'

'Meen je dat echt?'

'Dacht u, dat ik een zakenvrouw wil worden die land en huizen opkoopt en met winst door verkoopt?'

'Het is een goede zaak. Het is een familiebedrijf. Je opa is ermee begonnen en je vader heeft het overgenomen en de zaak uitgebreid, het is mooi werk,' legt Ria uit.

'Waarom gaat u er dan zelf niet werken in plaats van hier in de keuken uien schoon te maken?'

'Dat wil je vader niet, hij is nog van de oude stempel.'

'U bedoelt: De vrouw heeft maar één recht en dat is het aanrecht,' plaagt Francien.

'Zo erg is het nou ook weer niet,' lacht Ria om haar dochter.

Francien gaat naar haar kamer nog wat huiswerk doen. Als ze na een uurtje naar beneden komt en de hal inloopt om haar jack aan te doen, vraagt Ria: 'Waar ga je heen. Je ruikt zo lekker?'

'Ma!'

'Je gaat toch niet naar die boerenjongen met zo'n luchtje?'

'Waarom doet u nou zo, nu heb ik alle moed verzameld en mij gedoucht en zo.'

'Dus toch?'

'Ja.'

'Moet je niks voor hem meenemen?'

'Nee. Waarom?'

'Je hebt toch wel eens vaker een zieke bezocht?'

'Nou ja, in het ziekenhuis heb ik voor een fruitmand

gezorgd. Wat moet ik nou zo'n jongen geven?'

'Dat had je eerder kunnen bedenken.'

'Fruit en bloemen vind ik zo stom.'

'Let een beetje op je woorden.'

'U maakt mij helemaal in de war.'

'Wacht, ik heb nog een doos met chocolade liggen. Misschien is het wel een snoeper.'

'Ik stop het wel in mijn tas en zie dan wel of ik het hem geef.'

'Je weet maar nooit,' lacht Ria.

'Wat wilt u daarmee zeggen?'

'Als hij niet aardig is laat je die doos chocolade in je tas en is hij aardig, dan geef je het hem,' grapt Ria.

'Wat praat u toch dom.'

'Dat moet je niet zeggen. Ik had vroeger een tante die altijd op mijn verjaardag kwam. Ze bleef de hele avond en als ze het gebak en de rest op had en zei: "Ik zal maar weer eens opstappen", dan ging haar tas open en kwam er een envelopje met geld uit.'

'Echt waar?'

'Ja, ik zat gewoon te wachten totdat ze naar huis ging, snap je.'

'Ze wilde eerst proeven of het gebak en de drank en hapjes naar haar zin waren en smaakten,' lacht Francien terwijl ze de voordeur opent.

'Doe je voorzichtig?'

'Ik let wel op mezelf.'

'Nou, die boerenjongen moest ook te hulp komen die avond.'

'Mam, zeur niet zo, ik ben al nerveus genoeg.'

'Je moet gewoon jezelf blijven, dan valt het altijd mee.'

Francien stapt in haar Toyota Aygo en rijdt de brede oprijlaan uit, nagezwaaid door haar moeder.

Ze rijdt het dorp uit en komt langs het kanaal aan de rand van het dorp. Als ze zo'n halfuur onderweg is, ziet ze in de verte de boerderij liggen. Het is een vlak land langs het kanaal. De boerderij ligt in de verte tegen een bosrand. Ze heeft deze rit al vaker gemaakt. Ze wilde weten waar hij woonde. Was het nieuwsgierigheid of toch belangstelling voor Simon?

Ach, doe gewoon, schudt ze die gedachte van zich af.

Ze gaat steeds langzamer rijden als ze dichter bij de boerderij komt. Dan rijdt ze het erf van de boerderij op. Er staan een tractor en een auto. Zou er al bezoek zijn? Het zweet staat in haar handen. Ze kijkt eerst nog in de spiegel van haar auto.

Als ze het portier van haar auto afsluit, komt er een man in een overall de deur van de boerderij uit stappen. Ze ziet dat het de vader van Simon is. Ze loopt naar hem toe en geeft hem een hand.

'Zo, ben jij het?'

'Ja, ik wilde even uw zoon een bezoek brengen.'

'Dat zal hij leuk vinden. Zulke bezoeken krijgt hij niet elke dag,' grapt de boer.

Francien krijgt een rode kleur.

'Volg mij maar, dan ga ik je voor naar binnen,' zegt de boer netjes.

Ze gaan over de deel. De boer opent dan een deur en ze komen in een grote woonkeuken terecht. Ze ziet Simon achter een grote tafel zitten. Zijn moeder zit tegenover hem.

De boer stapt naar binnen en zegt: 'Hoog bezoek voor jou, jongen.'

'O.' De moeder van Simon, de boerin, staat op. Ze loopt naar haar toe, geeft haar een hand en merkt aan haar natte hand dat Francien nerveus is. Dan zegt ze: 'Daar doe je goed aan, kind.'

Simon staat voorzichtig op. Hij leunt op de tafel en geeft haar ook een hand. Haar hand verdwijnt helemaal in zijn grote knuist.

'Fijn dat je mij toch nog komt opzoeken,' zegt Simon vriendelijk.

'Ga maar zitten, we zitten net aan de koffie. We zijn gewend voor het eten nog een bakkie te drinken,' zegt de boerin die vriendelijk naar Francien lacht.

'Ik ga nog even voor de beesten zorgen,' zegt de boer terwijl hij verdwijnt.

'Wil je koffie?'

'Ja ... ja graag,' antwoordt Francien wat verlegen.

'Dus je kon de weg hier naartoe wel vinden?'

'Ja hoor.'

'Fijn dat je er bent,' zegt Simon eerlijk.

'Hij had je al eerder verwacht,' lacht de boerin vrolijk.

'Ik wilde wel komen, toch vond ik het moeilijk,' zegt Francien nu eerlijk.

'Je bent toch niet bang voor boerenmensen?' lacht de boerin.

'Nee, dat niet.'

'In het ziekenhuis heb je mijn zoon vaak opgezocht, dat was netjes van je,' zegt de boerin terwijl ze een beker koffie voor Francien zet.

'Je lust toch wel koffie met gekookte melk?'

'Ik zal het proberen,' antwoordt Francien nerveus.

'Als je het niet lust, dan maak ik een ander bakkie voor je. Eerlijk zeggen, hoor. We zijn het hier zo gewend,' zegt de boerin.

'Smaakt wel,' zegt Francien na een paar slokjes.

Dan staat Simon op. Hij pakt zijn kruk en vraagt aan Francien: 'Zal ik je de boerderij laten zien?'

'Kan dat wel op je kruk?'

'Het scheelt dat ikzelf nog geen kruk ben, maar het gaat wel.'

'Heb je maar één kruk?'

'Is dat dan niet genoeg?' lacht Simon.

'In het ziekenhuis liep je op twee krukken.'

'Het gaat nu al wat beter, alleen de wond doet vaak nog pijn en mijn rechterbeen wil niet zoals ik wil,' legt Simon uit.

Simon loopt voorzichtig voor haar uit de keuken uit. Als ze over de deel lopen, zegt Francien: 'Wat een ruimte, zeg.'

'Ja, hier op de deel wordt van alles gedaan als het in de winter te koud is om buiten te werken. Je moet het zien als onze werkplaats,' legt Simon uit.

Als ze buiten komen haalt Francien opgelucht adem. De frisse lucht doet haar goed.

'Vond je het warm in huis?'

'Een beetje wel,' bekent Francien eerlijk.

Als ze het boerenerf over lopen en in wat loodsen geweest zijn waar veel dieren staan, komen ze in de melkerij waar Simons vader bezig is alles in gereedheid te brengen voor het melken.

'Als je even wacht, dan kun je zien hoe dat gaat,' zegt Simon.

'Gaat het pa?' vraagt hij aan zijn vader.

'De computer is weer eens op hol geslagen,' antwoordt zijn vader.

Simon drukt een paar toetsen in en dan is alles in werking.

'Ik ben een ouderwetse boer, al die nieuwe dingen kan ik niet zo goed. De harde schijf in mijn hoofd werkt niet zo snel meer,' grapt zijn vader.

'Red je het zo, pa?'

'Het komt wel goed, jongen, bedankt.'

Dan gaan ze naar een van de wat oudere loodsen waar wat schapen in staan en waar balen stro opgestapeld staan.

'Och, wat lief, die kleine diertjes,' zegt Francien.

'Ze zijn nog geen week oud.'

'Mogen ze niet naar buiten?'

'Nee. Het moet eerst wat beter weer worden en ze zijn nog afhankelijk van hun moeder.'

'Die gaat dan toch ook mee de weide in?'

'Dat wel.'

Dan ineens valt Simon voorover omdat zijn kruk wegglijdt. Francien, die voor hem staat, vangt hem op. Ze vallen alle twee achterover in het stro bij de schapen.

Ze kijken elkaar aan zonder wat te zeggen. Hun gezichten komen dichter bij elkaar.

'Heb jij je pijn gedaan?' vraagt Simon.

'Nee, jij?'

'Nee.'

Ze blijven liggen. Dan gaan hun gezichten nog dichter naar elkaar en voor Francien het weet zoent Simon haar. Ze weet niet wat haar overkomt. Ze houdt hem niet tegen. Ze zoent hem terug. Dan maakt Francien zich los uit zijn omhelzing. Ze staat op en vraagt: 'Kun je wel overeind komen?'

'Als je mij een hand wilt geven en mij die kruk aanreikt, dan moet het lukken.'

Francien geeft hem een hand en met haar andere hand geeft ze hem zijn kruk.

Simon houdt haar hand vast als hij weer op zijn benen staat en op de kruk leunt.

'Gaat het?'

Simon geeft geen antwoord en trekt haar naar zich toe.

Hij kijkt haar aan en fluistert: 'Francien, Francien, ik meen het echt.'

'O.'

'Mag ik je nog een keer zoenen …?'

Zonder op haar antwoord te wachten neemt hij haar in zijn armen en zoenen ze elkaar.

Dan gaat de deur van de schaapskooi open en valt het daglicht op hen. Ze laten ze elkaar snel los.

'O, ik dacht al, waar blijven die twee,' zegt de moeder van Simon met een lach op haar gezicht.

'Simon viel en toen …' probeert Francien zich te verdedigen.

'Dat zal wel,' lacht de boerin.

'Nee ma, u denkt dat ik mij expres heb laten vallen.'

'Natuurlijk denkt jouw moeder dat niet,' zegt de boerin met een knipoog naar Francien.

Francien kijkt Simon aan en vraagt zich af: Zal hij zich expres hebben laten vallen.

'Je zult wel moe zijn. Het eten staat al klaar. We wachten op jullie.'

'Maar ik kan zomaar niet bij jullie eten!' zegt Francien.

'Waarom niet?'

'Daar heb ik niet aan gedacht.'

'Daar hoef je niet over na te denken,' zegt Simon.

Ze volgen de boerin naar de keuken waar het heerlijk ruikt.

'Ik dacht, laat ik voor jullie wat pannenkoeken bakken. Die lust je vast wel?'

'Nou!'

'Je mag kiezen uit gewone pannenkoeken of met spek.'

'Maar mijn moeder rekent erop dat ik thuis kom eten.'

'Dan bel je maar naar huis,' zegt de boer die ook zin heeft in pannenkoeken.

Francien pakt haar mobieltje uit haar tas. Dan ziet ze de doos met chocolade in haar tas en zegt: 'O, Simon, die zijn voor jou.'

'Dat is lief van je, dank je wel,' zegt Simon, terwijl hij in haar blauwe ogen kijkt.

Francien belt haar moeder en zegt dat ze blijft eten.

Zo loopt die dag voor Francien heel anders dan ze verwacht had. Maar houdt ze dan echt van deze boerenjongen, die haar kuste? Zij vond het niet erg, ze kuste hem zelfs terug en er was iets vreemds binnen in haar. Zouden dat die vlinders geweest zijn?

5

'Wat is er met Francien?' vraagt Vincent op een avond als hij voor de open haard de krant zit te lezen.

'Dus je hebt wel wat gemerkt?'

Vincent vouwt de krant op en legt die naast hem op een tafeltje.

'Het kan toch niet waar zijn dat ze met die boerenpummel gaat?'

'Weet wat je zegt, Vincent.'

'Dat weet ik heel goed.'

'Het is een nette jongen.'

'Daar gaat het niet om.'

'Waar gaat het bij jou dan wel om?'

'Het is onze dochter en ...' Verder komt hij niet.

'Wat wilde je daarmee zeggen?'

'Dat ze geen omgang heeft met zo'n jongen.'

'Doe normaal, Vincent,' valt Ria uit.

'Het is jouw dochter, je gaat je gang maar.'

'Begin je nou weer?'

'Ja, als zij mijn dochter wil zijn, dan gaat ze niet met zo'n vent om.'

'Wat mankeert er aan die jongen?'

'Ik zeg toch, als zij mijn dochter is, dan pik ik het niet dat ze omgang heeft met hem.'

'Ten eerste is zij jouw dochter.'

'Je weet heel goed wat ik bedoel, Ria.'

'Nee, dat weet ik niet, wil je wat duidelijker zijn?' zegt Ria fel.

'Ik denk verder dan jij.'

'Wat wil je daarmee zeggen?'

'Onze zaak. Zij is de enige erfgenaam als zij mijn dochter is.'

'Houd alsjeblieft eens op met: "Als zij mijn dochter is".'

'Het gaat hier om een groot bedrijf en daar kan ik geen keuterboertje in hebben.'

'O, is het dat, meneer wil geen gewone jongen in zijn bedrijf hebben?'

'Praat niet zo dom. Als zij het echt meent met die jongen, dan moeten wij praten voor het te laat is,' zegt Vincent kort.

'Je loopt te hard van stapel, ze hebben elkaar pas een paar keer ontmoet.'

'Ze is gek van die vent.'

'Vincent, waarom doe je zo?'

'Het is jouw dochter en ik ben met jou getrouwd en heb haar aanvaard als mijn eigen kind.'

'Wat wil je daarmee zeggen?'

'Als zij mijn dochter is en mijn naam draagt, dan draagt zij ook de naam van onze firma.'

'Wat ben jij een kleinzielig mens, Vincent.'

'Oké, zoals je wilt,' zegt Vincent terwijl hij opstaat en naar zijn kantoor loopt naast de woonkamer. Daar gaat hij achter zijn grote bureau zitten.

Ria staat ook op en loopt naar zijn kantoor. Ze gaat tegenover hem zitten en vraagt: 'Wat wil je nu eigenlijk?'

'De waarheid.'

'Hoe bedoel je?'

'Ik heb geen zin mijn hele leven met een leugen te leven.'

'Wat voor leugen?'

'Doe niet zo onnozel. Je weet heel goed wat ik bedoel.'

'Wat wil je dan?'

'Ria, wij hebben een grote fout gemaakt en nu krijgen wij de rekening gepresenteerd.'

'Wat voor rekening?'

'De waarheid.'

'Je hebt haar als je eigen kind aanvaard, waarom doe je nu zo gemeen?' snikt Ria.

'Je moet de werkelijkheid onder ogen zien. Zij heeft ook recht op de waarheid.'

'Je wilt ons kapotmaken met die waarheid. Moet ik nu alles weer opnieuw gaan beleven? Je moet ook aan mij denken! Heb ik niet genoeg meegemaakt? Je wilde mij gelukkig maken, je hield van mij en mijn kind en nu ga je oude wonden openscheuren. Je bent gemeen,' snikt Ria.

'Je moet de waarheid onder ogen willen zien. Francien is nu twintig jaar en zij heeft recht op de waarheid.'

'Waarom begin je daar nu pas over?'

'Omdat er moeilijkheden van komen.'

'Nee, Vincent, je bent bang dat ze erachter komen dat zij jouw dochter niet is.'

'Jij dan niet?'

'Nee, je hebt haar als je eigen dochter aanvaard.'

'Toen wij jong waren en je van haar in verwachting was, toen leek alles voor mij zo gewoon ... en iedereen geloofde ons. Wij moesten zogenaamd trouwen en het kind was van ons samen, maar nu is dat kind groot geworden, daar hebben wij nooit zo bij stilgestaan. Zij heeft het recht te weten wie haar vader is,' legt Vincent uit.

'Maak je haar daar gelukkig mee?'

'Daar gaat het niet om.'

'Waar gaat het dan wel om bij jou?'

'Ik wil niet langer met een leugen leven.'

'Dat had je eerder moeten bedenken toen wij elkaar het jawoord gegeven hebben en jij mij beloofde dat je haar zou aanvaarden als je eigen kind.'

'Het is nu anders.'

'Jij bent anders geworden de laatste jaren. Je was altijd als een vader voor haar en nu ga je haar van je afstoten.'

'Zo bedoel ik het niet. Ik zal voor haar blijven zorgen als

was ze mijn eigen kind. Maar ik wil niet langer met een leugen leven. Zij heeft ook recht op de waarheid,' zegt Vincent fel.

Ria staat op. Ze veegt haar tranen weg met de rug van haar hand en zegt: 'Als jij de waarheid boven tafel wilt hebben, dan ga ik bij je weg. Als jij je belofte breekt, dan kan ik jouw vrouw niet meer zijn en dan zal ik het haar zelf vertellen en zal zij de waarheid weten en niet alleen dat ze jouw dochter niet is, maar dan ook de volle waarheid. Ze zal weten hoe jij mij beloofd hebt haar als je eigen kind te aanvaarden en dat je er nu een leugen van hebt gemaakt, je hebt mij bedrogen!' schreeuwt Ria terwijl ze zijn kantoor uit rent.

Vincent blijft achter op zijn kantoor en houdt zijn handen voor zijn gezicht. Hoe moet het nu verder? Diep in zijn hart weet hij dat Ria gelijk heeft. Hij heeft het haar beloofd. Hij zou een vader voor haar kind zijn, maar nu lijkt alles zo anders. Nu ze een jonge vrouw is en omgang heeft met een jongen en nog wel een jongen van hier in de omtrek. Wat gaat er gebeuren als zij echt van die jongen houdt en zij met hem gaat trouwen? Zijn bedrijf, een miljoenenbedrijf. Zijn vader heeft het opgebouwd en hij heeft het groter gemaakt. Moet zij het samen met die boerenzoon dan voortzetten? Daar heeft hij vroeger nooit zo bij stilgestaan. Als ze nu met een jongen omging die meer in het zakenleven paste … Nou ja,dit kan gewoon niet.

Vincent staat op. Hij loopt zijn kantoor uit en gaat weer in zijn stoel voor de open haard zitten. Hij zal een keuze moeten maken. Ria zal het niet menen, die gaat zomaar niet bij hem weg, nee zover zal het niet gaan.

Dan hoort hij een deur dichtslaan en ziet hij Ria in haar auto stappen. Ze heeft een grote weekendtas bij zich. Vincent staat op, hij rent naar buiten en vraagt: 'Waar ga je heen?'

'Wij zijn uitgepraat.'

'Maar, Ria, we kunnen toch nog verder praten?'
'Wij hebben genoeg gepraat, zorg jij maar voor jezelf, jij met je leugen!' schreeuwt ze tegen hem.
Met gierende banden rijdt ze weg.
'Ria, Ria,' zucht Vincent.
Hij loopt terug zijn huis in. Hij gaat weer op zijn stoel zitten en weet niet wat hij hiermee aan moet.

Ria rijdt vol gas over de landwegen om het dorp. Ze weet niet meer hoe het nu verder moet. Ja toch wel, er is een weg, ze heeft nog een kind.
Ze rijdt langs het kanaal en ziet in de verte de boerderij. Ze weet dat haar dochter daar is. Ze zal haar ophalen en met haar een ander leven beginnen. Het is haar kind. Ze had het twintig jaar terug kunnen weten, dat een man verliefd is en het kind er voor lief bij neemt. Maar Vincent was niet zo, zij waren echt verliefd op elkaar. Waarom is hij de laatste tijd zo nu haar dochter een vriend heeft?
Als ze dicht bij de boerderij is waar Francien bij haar vriend Simon is, dan bedenkt zij zich en rijdt langs de boerderij.
Ze moet ergens rust vinden, maar waar? Ze stopt op een parkeerterrein. Het is een industrieterrein. Ze legt haar armen op het stuur en laat er haar hoofd op rusten.
Zo ligt ze een tijdje te piekeren. Ze weet geen uitkomst.
Dan wordt er op het raampje getikt en ziet ze dat het Francien is, samen met Simon. Francien doet het portier van haar auto open en vraagt: 'Ma, wat is er, waarom zit u hier zo?'
'Ach niks.'
'Wel waar, ma, je kwam langs de boerderij van Simon waar ik was. Wij zagen je voorbijgaan. Ik herkende je auto en dacht dat je naar ons toe kwam, maar je reed als een gek door, wat is er?' vraagt Francien bezorgd.

Simon blijft in zijn auto zitten en kijkt af en toe naar zijn vriendin en haar moeder of het allemaal wel goed gaat.

Als Ria begint te huilen gaat Francien naast haar in de auto zitten. Ze legt haar arm om haar heen en vraagt: 'Praat u er liever niet over?'

Ria schudt haar hoofd en veegt met haar zakdoek haar gezicht af.

'Is er wat met pa?'

Ria knikt.

'Ruzie?'

Ria knikt opnieuw.

'Wilt u erover praten?'

Ria kijkt angstig naar de auto waar Simon in zit. Francien merkt dat haar moeder nu niet wil praten waar Simon bij is, ook al kan hij het niet horen.

'Ik zeg wel tegen Simon dat ik met u ergens heen ga, waar wij rustig kunnen praten,' zegt Francien terwijl ze uit de auto van haar moeder stapt. Ze loopt naar Simon toe en legt hem de situatie uit.

Simon knikt en rijdt terug naar de boerderij.

'Zal ik rijden, ma?'

Zonder antwoord te geven stapt Ria achter het stuur vandaan. Dan gaat Francien achter het stuur zitten. Ze rijden het parkeerterrein af en rijden langs het kanaal.

'Of wilt u liever naar huis?'

Ria schudt haar hoofd.

Francien denkt: dan moet er toch iets ernstigs gebeurd zijn.

Ze stoppen voor een klein restaurant langs het kanaal.

'Laten we hier een kopje koffie gaan drinken.'

Zonder antwoord te geven stapt Ria uit de auto en even later lopen ze samen naar het restaurant.

'Laten we daar maar in dat hoekje gaan zitten,' zegt Francien.

Als ze tegenover elkaar zitten en ze koffie hebben besteld, kijkt Francien haar moeder aan en zegt: 'Dus het heeft te maken met pa?'

'Nou ja.'

'Wilt u erover praten, of moet ik met pa gaan praten?'

'Nee, nee, niet met je vader,' antwoordt Ria nu wat angstig.

'Is er iets wat ik niet mag weten?'

'Nee, het is alweer over, ik voelde mij even niet goed,' antwoordt Ria nerveus.

'Waarom wilt u dan niet naar huis?'

Ria heft haar hoofd op. Ze kijkt haar dochter aan en vraagt: 'Houd jij echt van Simon?'

'Ja, waarom?'

'Dan is het goed,' antwoordt Ria met een zachte stem.

'Heeft het ook met Simon te maken? Wilde u daarom naar de boerderij maar bedacht u zich en bent u doorgereden?'

Ria laat haar hoofd zakken en geeft geen antwoord. De bediende zet koffie bij hen op het tafeltje.

'Wat is er met pa, heeft hij iets tegen Simon?'

Ria richt haar hoofd op, kijkt haar dochter aan en zegt: 'Het is allemaal zo moeilijk, ik praat er liever niet over.'

'Als het om Simon gaat, dan heb ik er recht op, ma.'

'Je weet hoe je vader is.'

'Nee, dat weet ik niet, soms krijg ik de indruk dat ik er één te veel ben. Vroeger was hij heel anders en kon ik overal met hem over praten. Dan was hij vrolijk en maakte hij grappen en zo. Maar nu stuurde hij mij zelfs een keer het huis uit. Wat heeft hij toch? Ma, zeg het!'

Ria schudt haar hoofd.

'Is er iets wat ik niet mag weten?'

'Ach nee,' liegt Ria.

'Toch wel, ma, u wilt er alleen niet over praten.'

Ria neemt een slok koffie. Ze kijkt haar dochter aan en vraagt weer: 'Dus je houdt van Simon?'

'Ja.'

'Hoe wil je later verder met hem?'

'Gewoon, huisje, boompje, beestje,' antwoordt Francien vlot.

'Je weet heel goed wat ik bedoel.'

'U weet dat ik niet bij pa in de zaak wil en zeker niet zoals hij de laatste tijd doet.'

'Wat wil je dan?'

'Dat weet ik nog niet'

'Je gaat met een boerenzoon.'

'Is daar wat mis mee?'

'Zo bedoel ik het niet.'

'Wat wilt u er dan mee zeggen?'

'Blijft Simon boer of weet hij dat nog niet?'

'Hij zou niet anders willen.'

'Dat is het nu juist, jij op een boerderij. Heb je daar al over nagedacht?'

'Nou, niet echt, maar ik zie Simon nog niet op een kantoor zitten. Trouwens, ik ook niet,' geeft Francien toe.

'Je zult toch een keuze moeten maken.'

'Wat Simon betreft, bedoelt u.'

'Ja.'

'Dat is zo moeilijk niet.'

'Je wilt zeggen dat je bij Simon blijft?'

'Natuurlijk, wij houden van elkaar.'

'Praten jullie dan nooit over de toekomst hoe het verder moet?'

'O ja hoor, Simon blijft gewoon boer en mij laat hij vrij wat betreft het werk dat ik wil gaan doen.'

'Je beseft toch wel dat je op de boerderij bij hem moet wonen als zijn vrouw, en dat je dan een boerin bent.'

'Moet ik mij daarvoor schamen?'

'Je vader…'

'O, nu snap ik het, Simon is te min voor hem.'

'Nou ja.'

'Heeft hij daar ruzie over gemaakt?'

'Francien, het is voor mij ook moeilijk.'

'Helemaal niet. Pa is de laatste tijd erg veranderd. Hoogmoedig en nergens heeft hij tijd voor. Alles draait om de zaak. Hij is niet getrouwd met u, maar met de zaak.'

'De zaak breidt zich steeds verder uit en je vader heeft veel aan zijn hoofd.'

'Daar heeft hij mensen voor in dienst, laat hij die maar achternazitten en niet ons leven verpesten!' zegt Francien fel.

'Je wilt het niet begrijpen.'

'Begrijpt u het wel?'

'Nee, hij …'

'Hij heeft u overstuur gemaakt en stuurt u naar mij en Simon dat ik het uit moet maken. Heb ik gelijk?'

'Nee, ik ben uit mijzelf weggegaan.'

'Om met mij te praten en over Simon?'

'Dat niet per se.'

'U was van plan om naar de boerderij te komen omdat u wist dat ik daar was.'

'Dat wel ja.'

'U gaat mij toch niet vertellen dat u echt van plan was om met mij en Simon te praten over onze toekomst?'

'Nee, ik was wat overstuur en ben zomaar wat gaan rijden.'

'U dacht, laat ik daar maar een kop koffie gaan drinken?'

'Dat durfde ik niet.'

'U heeft ruzie om mij en Simon, daar gaat het toch om? U bent overstuur gemaakt door pa?'

Ria knikt.

'Dan zal ik het pa zelf wel duidelijk maken. Laten we

opstappen en naar huis gaan,' zegt Francien resoluut.

Francien rekent af en even later zitten ze samen in de auto en rijden ze naar het ouderlijke huis van de familie Milder.

Als ze binnenkomen zien ze Vincent in zijn stoel zitten voor de open haard.

Francien gaat voor hem staan en vraagt: 'Zijn er moeilijkheden, pa?'

'Wat wil je van mij?' vraagt Vincent kort.

'De waarheid.'

'Dan moet je bij je moeder zijn.'

'Die heeft mij alles verteld.'

Vincent kijkt zijn vrouw Ria aan en die schudt haar hoofd ten teken dat ze niet heeft verteld wat hij denkt.

'Nou, dan is het toch goed.'

'Waarom maakt u dan ruzie over mij en Simon met ma?'

'Voor je eigen bestwil.'

'Dat maak ik zelf wel uit.'

'Dan ga je toch gewoon je eigen gang met je boertje? Het gaat al aardig lijken op dat programma "boer zoekt vrouw", lacht Vincent gemeen.

'Als u maar goed begrijpt dat niemand, en zeker u, mij niet van een man naar eigen keuze af kan houden en zeker van Simon niet.'

'Dus zover is het al.'

'Zeker weten,' antwoordt Francien kort.

'Nou, gefeliciteerd, hoor, met je boertje.'

'Er valt gewoon niet meer verstandig met u te praten,' zegt Francien terwijl ze haar jack uitdoet en naar haar kamer gaat.

Ria neemt een paracetamol in en gaat naar bed. Ze is oververmoeid door al het gepieker hoe het nu verder moet met haar gezin, nu haar man zo vreemd doet.

6

'Ma, telefoon voor u!' roept Francien naar haar moeder die buiten op het terras zit.

'Wie is het?'

'Uw geliefde,' lacht Francien.

'Doe gewoon, zeg.' Ria loopt naar de keuken.

'O, ben jij het.' 'Ja, dat is goed, uit eten. We kunnen ook thuis eten?' 'Ja, oké.'

Ria legt de hoorn neer en slaakt een diepe zucht.

'Wat is er, ma?' vraagt Francien als ze ziet dat haar moeder moeilijk kijkt.

'Pa heeft een nogal belangrijke zakenvriend onverwachts ontvangen. Het heeft te maken met een groot project in Duitsland.'

'Die man komt toch niet hier eten?'

'Nee.'

'U had het over eten.'

'Die man komt hier een paar dagen logeren, dus of ik de logeerkamer klaar wilde maken.'

'Het is hier geen hotel.'

'Het is heel belangrijk voor je vader.'

'Waar maakt hij zich druk om? Hij heeft al genoeg geld op de bank staan, dat krijgen wij heel ons leven niet op.'

'Francien, praat wat verstandiger, wil je?'

'Nou ja, oké. Dus u hoeft niet te koken voor dat heerschap?'

'Nee. Pa wil dat we met hem uit eten gaan vanavond.'

'Wie is wij?'

'Ons gezin.'

'Hoor ik daar ook bij?'

'Hij wil dat jij ook meegaat.'
'Mooi niet, ik heb een afspraak met Simon.'
'Dat kun je niet maken. Je vader rekent op je.'
'Echt niet, ma.'
'Toch moet je deze keer ook eens de zin van je vader doen. Hij wil laten zien dat hij een knappe dochter heeft en is trots op je.'
'Laat mij niet lachen. Let maar eens op. Het wordt weer een saaie avond. Het gaat de hele avond over grondaankoop en nieuwbouw,' antwoordt Francien.

's Avonds tegen zes uur rijdt de grote Mercedes van Vincent de oprit op. Francien zit met haar moeder op het terras. Ze hebben zich omgekleed en wachten af. Ze hebben wel eens vaker zakenmensen in hun landhuis ontvangen, maar deze blijft ook overnachten.
Ria heeft dan ook de logeerkamer op orde gemaakt.
Ze horen de mannenstemmen. Ze praten Duits. Francien zegt gelijk op een fluistertoon tegen haar moeder: 'Die Duitsers willen nooit Nederlands spreken. Als wij in Duitsland komen moeten wij ons wel aanpassen en Duits spreken.'
'Duits is een wereldtaal,' fluistert Ria terug.
'Ik dacht Engels.'
'Dat ook.'
'Zo lust ik er nog wel een paar,' spot Francien.
'Je gedraagt je,' zegt Ria tegen haar dochter als ze de mannen hoort naderen.
'Ja ma, ik zal lief zijn, hoor,' lacht Francien gemeen.
'Zo, zitten jullie te genieten van het zonnetje?' zegt Vincent als hij met zijn Duitse zakenvriend op het terras komt. Hij stelt Ernst Habbenstein aan hen voor.
Het is een jonge man, een lange en knappe verschijning met blond haar en lichtblauwe ogen die vrolijk de wereld in kijken.

Francien geeft de man een hand terwijl ze zich voorstelt.
'Gaat u zitten,' zegt Ria als ze zich ook heeft voorgesteld.
'Zegt u maar Ernst,' zegt de jonge man vlot.
'Wat wilt u drinken?'
'En ook graag geen u.'
'Ernst, wat wil je drinken?' vraagt Ria dan.
'Graag iets fris. Het is een warme dag en zo'n hele dag in een muf kantoor bij uw man. Mag ik mijn jasje uitdoen?'
'U doet maar alsof u thuis bent,' antwoordt Francien in het Duits.
'U spreekt goed Duits.'
'O, dank u,' lacht Francien.
'Ik hoop dat ik u niet tot last zal zijn. Uw vader nodigde mij uit en wilde niet dat ik in een hotel zou overnachten.'
'Wij zijn erg gastvrij,' zegt Francien met een gemeen lachje naar haar vader die nog steeds met zijn jas aan zit terwijl het buiten dertig graden is. Ernst heeft zijn jasje uitgedaan en achter zijn stoel gehangen. Hij stroopt zijn mouwen op.
Francien kijkt verbaasd. Het is niet zo'n stijf figuur zoals de meeste zakenlui.
Als Ernst haar aankijkt, slaat ze toch wel haar ogen neer. Die bijzondere lichtblauwe ogen die haar zo opnemen maken haar verlegen. Ze krijgt dan ook een kleur.
Dan komt Ria met het dienblad met glazen fris.
Ze praten nog wat. Dan ineens stapt Vincent op en zegt tegen Francien: 'Francien, wil jij Ernst zijn kamer wijzen?'
'O ja,' antwoordt Francien en denkt: Echt weer een streek van mijn vader.
Francien staat op en Ernst ook.
'Zal ik u voorgaan?' vraagt Francien.
'Wacht, ik zal mijn koffer pakken, die staat nog in de hal.'
Dan gaat Francien hem voor de trap op naar de logeer-

kamer. Ze voelt zich in haar rug bekeken door de jongeman en is dan ook erg nerveus. Ze opent de deur van de logeerkamer en zegt: 'Uw kamer.'

'Dank je, Francien.'

'Graag gedaan, daar zijn de kasten als u de kleren kwijt wilt.'

Ernst gaat voor haar staan. Hij is een kop groter dan zij. Hij tikt met zijn vinger op haar neus en zegt: 'Geen u meer, afgesproken?'

'Mij best, zoals u, je wilt,' antwoordt Francien verlegen.

Als Francien en Ernst boven zijn en Ria en Vincent alleen op het terras achterblijven, zegt Ria: 'Het is een knappe verschijning, ken je hem al lang?'

'Ja, hij heeft een groot project voor ons in Duitsland.'

'Ben je wel eens bij hem in Duitsland geweest?'

'Verleden jaar nog een paar dagen.'

'Heb je toen ook bij hem thuis gelogeerd?'

'Ja, hij woont in een klein kasteel, daar zijn wij hier niks bij.'

'Is hij getrouwd?'

'Nee, hij woont met zijn moeder samen in dat kasteel. Ze hebben ook bedienden in huis. Je weet niet wat je ziet. Ze zijn schatrijk. Veel land en ook nog huizen in de stad die ze verhuren.'

'Wat komt hij hier voor zaken doen?'

'Onze firma wil samen met hen een project ontwikkelen. Een soort appartementenproject voor rijke mensen. Er is op het ogenblik veel vraag naar,' legt Vincent uit.

'Dus je gaat met hem mee naar Duitsland?'

'We moeten eerst hier nog wat zaken doen voor wij er geld in steken. Het is een groot en duur project. Er zijn veel aannemers mee gemoeid. Veel bedrijven kunnen hier van meeprofiteren.'

Dan komen Francien en Ernst naar beneden.

Vincent kijkt op zijn horloge en zegt: 'Het wordt tijd dat we naar de stad gaan om wat te eten.'

Francien kijkt haar vader aan en schudt haar hoofd.

'Fijn, Francien, dat je ook meegaat,' zegt Vincent dan tegen haar.

'Maar ik heb al een afspraak.'

Ernst kijkt haar aan en zegt met een zachte stem: 'Francien, ik zal het erg op prijs stellen als je meegaat.'

'Kun je niet afbellen?' vraagt Vincent.

'Nee, pa.'

'Doe het dan voor mij,' lacht Ernst vriendelijk.

'Als jullie het per se willen, dan bel ik wel af,' zegt Francien dan. Ze is een beetje in de war door deze jongen. Hoewel hij al tegen de dertig loopt.

Francien belt Simon dat ze met haar ouders met een zakenrelatie uit dineren gaat.

Simon begrijpt dat haar vader haar mee wil hebben en wenst haar een fijne avond.

Ze stappen in de grote Mercedes en rijden naar de stad waar ze stoppen bij een duur restaurant.

Ze drinken eerst wat vooraf en er wordt druk gesproken over de zaken in Duitsland. Het is een groot project dat erg belangrijk is voor Vincent.

Francien komt wat los als ze een glaasje wijn op heeft en vraagt waarom Ernst in Nederland met haar vader zaken doet.

'Wij doen al een paar jaar samen zaken en we zijn er erg tevreden over. Nu hebben we een mooi project bedacht om een stuk grond te kopen aan de Moezel en daar dure appartementen te bouwen voor mensen die er geld voor overhebben. Het is een prachtig project.'

'Duitsland is een mooi land, maar Nederland heeft ook mooie gebieden,' zegt Francien.

'Nederland is te klein en te vol,' antwoordt Ernst.

'Er komen hier veel vakantiegangers uit alle landen en ook veel Duitsers,' houdt Francien vol.

'Daar heb je gelijk in. Toen ik nog een jongen van ongeveer acht was, dus dat is bijna twintig jaar geleden, gingen wij vaak naar Den Helder boven in Nederland en naar Texel. Toch gaan de wat rijkere Duitsers meer naar landen waar het warm is, zoals Afrika,' legt Ernst uit.

'Kom je vaak in Nederland voor zaken?'

'Nee, niet echt. De Nederlanders komen meer naar Duitsland, wij hebben meer te bieden,' zegt Ernst.

Als het al tegen elf uur loopt staan ze op, maar Ria blijft zitten en zegt: 'Zullen we eerst danken?'

Ze gaan weer zitten, vouwen hun handen en doen een stil gebed.

Vincent kijkt zijn vrouw donker aan. Als ze naast hem loopt naar de auto, vraagt ze: 'Heb ik iets verkeerds gezegd of zo?'

'Jij met je danken.'

'Vincent, hoe kun je dat zeggen!'

'Laten we maar instappen,' antwoordt Vincent terwijl hij het portier van zijn auto voor Ria openhoudt.

Francien en Ernst zitten samen achterin.

'Fijne wagen, ook een Duits model,' zegt Ernst niet zonder trots.

'Mij niet gezien met zo'n bakbeest,' zegt Francien.

'Er is geen beter merk dan een Mercedes,' zegt Ernst.

'Geef mij maar een Toyota,' zegt Francien.

Ernst moet lachen en zegt: 'Zo'n japanner is niks waard, dat is geen klasse.'

'O nee, heb je wel eens een Toyota Prius gereden?"

'O ja, je bedoelt die auto met een soort elektromotor?'

'Ja, en dat is geen Duits product.'

'Het stelt niks voor.'

'Het is belangrijk voor het milieu en hij is erg zuinig, een op twintig.'

'Geloof jij dat?'

'Zeker weten.'

'Heb je dan zelf ook een Prius?'

'Nee, een Toyota Aygo.'

'Wat is dat voor auto?'

'Het is een klein model, makkelijk te parkeren en rijdt ook erg zuinig. Je mag er morgen wel een ritje mee maken,' lacht Francien.

Ze ziet deze rijke Duitser al in haar auto.

'Goed, afgesproken, op één voorwaarde. Jij gaat mee.'

'Nou ja.'

Ze heeft zich er weer mooi ingepraat, denkt Vincent met een glimlach op zijn gezicht.

De volgende morgen, als Francien opstaat, zijn haar vader en Ernst al naar kantoor.

'Ze zijn al vroeg weg,' zegt Francien als ze aan de ontbijttafel gaat zitten bij haar moeder.

'Ze hebben een bespreking op kantoor met wat aannemers voor het project in Duitsland.'

'Dus pa gaat daar een project ontwikkelen?'

'Ja, het moet iets heel bijzonders zijn. Een appartementencomplex aan de Moezel voor mensen die er warmpjes bij zitten. Er komt dag en nacht verzorging, een zwembad en tennisbanen. Het is echt voor de elite boven de vijftig bedoeld.'

'Daar bent u dus nog te jong voor?'

'Ik zou hier niet weg willen.'

'U heeft vroeger eigenlijk wel een rijke man getrouwd?'

'Ach ja.'

'Hoe ging dat, ma?'

'Gewoon,' antwoordt Ria wat nerveus en gaat de ontbijt-tafel afruimen.

'Waarom wilt u nooit over vroeger praten?'

'Waarom zou ik?'

'En waarom mocht ik nooit naar opa en oma?'

'Ze waren ziekelijk en zijn jong gestorven.'

'Uw moeder was voor de tweede keer getrouwd, is het niet?'

'Ja, dat is zo.'

'Hier bij pa zijn ouders mocht ik altijd komen, maar bij uw ouders niet. Wilde pa dat niet?'

'Daar praat ik liever niet over.'

'Heeft het te maken omdat u een tweede vader had, kon u niet zo goed met die man overweg?'

'Nee.'

Dan ziet Francien dat haar moeder snel een traan weg-veegt.

'Was uw tweede vader een slechte man?'

'Het is verleden tijd en ik wil het verleden laten rusten.'

'Uw moeder, oma was wel een aardige vrouw of was u kwaad op haar dat ze met een andere man trouwde?'

'Zoiets ja.'

'Praat er dan over, ma.'

'Nee, nee, laat mij met rust!' schreeuwt haar moeder en gaat in de kamer op de bank zitten.

Francien gaat naast haar moeder zitten die haar handen voor haar gezicht houdt. Francien legt haar arm om haar heen en vraagt: 'Was het zo erg, ma?'

Ria knikt en kijkt dan haar dochter angstig aan. Moet ze het nu vertellen? Francien zal het toch een keer moeten horen. Nee, ze zal er alleen maar ongelukkig door worden als ze weet dat Vincent haar vader niet is en wat haar moe-der allemaal heeft doorgemaakt.

'Ik ga de bedden opmaken en jij moet nog wat huiswerk

maken,' zegt Ria als ze naar boven wil gaan.

'Wat moet ik vanavond doen?' vraagt Francien dan.

'Wat bedoel je?'

'Die Ernst wil straks een stuk met mij rijden in mijn auto, dat heeft u toch ook gehoord?'

'Dat is toch niet zo erg?'

'Hij wil dat ik met hem meega.'

'Dat is toch geen ramp?'

'Maar ik wil naar Simon.'

'Waarom komt Simon nooit eens hier? Wij kennen hem alleen maar van jouw verhalen vanuit het ziekenhuis.'

'Hij wil nog wat wachten.'

'Waarom?'

'Als hij afgestudeerd is op de landbouwhogeschool wil hij jullie pas ontmoeten.'

'Wat heeft dat voor zin? Hij kan toch gewoon hier komen? Jij zit bijna elke dag bij hem op de boerderij.'

'Dat heeft met pa te maken, dat weet u heel goed.'

'Is hij bang voor je vader?'

'Bang is anders. Hij weet dat pa liever niet heeft dat ik met hem omga.'

'Daar kan hij zelf toch aan werken door hier vaker te komen. Als je vader hem leert kennen, dan valt het allemaal misschien wel mee.'

'Dat denk ik niet. Pa is erg hoogmoedig en ziet mij liever met zo iemand als Ernst Habbenstein.'

'Zou hij daarom hem hier laten logeren?'

'Als dat waar is, dan heeft hij het mooi mis. Hij moet niet denken dat hij mij kan koppelen aan een van zijn zakenrelaties,' zegt Francien fel.

'Het is wel een knappe jongen en hij is meer een type voor jou, vind je dat zelf ook niet?'

'Ma, u begint nu ook al net zoals pa.'

'Kind, je moet wel kiezen voor heel je leven. Ik zie jou

nog niet als een boerin op een boerderij.'

'Komt tijd, komt raad,' antwoordt Francien luchtig.

'Houd je wel echt van Simon?'

'Dat vraagt u nu altijd.'

'Dat is geen vreemde vraag voor een moeder, Francien.'

'U weet dat ik heel veel om Simon geef en hij ook om mij.'

'Je weet niet eens of je wel op een boerderij wilt wonen en Simon wil boer blijven. Je vader wil graag dat je bij hem op kantoor komt werken. Je bent ons enig kind en enige erfgenaam. Besef je dat wel?'

'Daar maak ik mij nog geen zorgen om, ik heb nog een heel leven voor mij en jullie ook.'

'Toch moet er later een opvolger zijn voor je vader.'

'Waarom, jullie kunnen toch de hele zaak verkopen en er goed van leven?' zegt Francien vrolijk.

'Dat kunnen we nu al.'

'Nou ma, u gaat nooit eens echt met vakantie terwijl pa de hele wereld afreist voor zijn zaak.'

'Ik heb geen behoefte aan vakantie.'

'Toch vreemd, het is maar goed dat ik vaak met pa ben meegeweest, anders had ik nooit wat van de wereld gezien. U weet niet wat u mist. Er zijn prachtige landen,' vertelt Francien.

'Daar geef ik niks om,' antwoordt Ria wat verdrietig.

7

Als Francien die middag uit school komt tegen vier uur, zit Ernst op het terras. Hij staat op als zij met haar auto de oprit oprijdt en loopt haar tegemoet.

'Dag Francien, veel kennis opgedaan?'

'Droge stof, daar krijg je hoofdpijn van,' antwoordt Francien wat vermoeid. 'Is mijn moeder er niet?'

'Nee, ik heb je ouders weggestuurd.'

'Dat zal wel.'

'Je vader heeft vanmiddag een bespreking en daar hoef ik niet bij te zijn en je moeder is naar een vriendin.'

'O, zeker naar tante Nel?'

'Ik heb geen naam gehoord.'

'Moet jij niet weg of zo?'

'Je hebt mij beloofd, dat ik met jouw superauto mocht rijden als je uit school kwam. Weet je nog?'

'Dat was maar een grapje, ik moet nog wat huiswerk maken,' wil Francien er onderuit zien te komen. Ze pakt een glas, schenkt wat fris voor zichzelf in en gaat op het terras zitten. Ernst pakt een flesje bier uit de koelkast en gaat bij haar zitten.

'Ik heb er helemaal op gerekend,' zegt Ernst terwijl hij haar met zijn lichtblauwe ogen aankijkt. Hij gaat met zijn hand door zijn blonde haar waar aan één kant een slag in zit.

'Oké, laten we dan maar gaan. Eigenlijk heb ik geen tijd,' antwoordt Francien wat nerveus. Ze voelt zich niet zo op haar gemak met deze jongeman alleen in huis. Zouden haar ouders een spelletje met haar spelen met deze knappe Duitse jongen, piekert Francien.

Ze lopen naar de auto. Francien wil zelf achter het stuur gaan zitten.

'Dat is niet volgens afspraak.'

'Waarom niet?'

'Ik mocht rijden.'

'Maar je hebt gedronken.'

'Maar twee flesjes.'

'Zoals je wilt,' zegt Francien terwijl ze uit haar auto stapt en Ernst aan de andere kant het portier voor haar openhoudt.

'Even kijken hoor, au!' zegt Ernst als hij zijn hoofd stoot.

'Je bent te groot voor deze auto.'

'Het zal best lukken, even de stoel wat naar achter zetten, nu lukt het zo wel.'

Ernst start de motor van de auto en rijdt de oprit af van het landhuis.

'Zeg jij maar waar ik heen moet,' zegt Ernst.

Francien moet lachen als ze Ernst, die nogal lang is, in haar kleine auto ziet zitten. Haar auto is meer een damesauto of voor wat oudere mensen en zeker niet voor zo'n grote Duitser die gewend is in een grote Mercedes te rijden. Ze rijden langs het kanaal het dorp uit.

Simon die op het land bezig is, ziet in de verte de grijze Toyota Aygo rijden. Hij houdt zijn hand boven zijn ogen voor de zon en ziet dat het net zo'n auto als die van Francien is. Het nummer klopt. Het moet de auto van Francien zijn. Hij kijkt nog eens goed en ziet dat er een vreemde man achter het stuur zit en Francien naast hem. Simon ziet dat ze richting de stad rijden. Daar moet hij meer van weten. Hij rent het erf op, stapt in zijn auto, rijdt het erf af en blijft op een afstand Franciens auto volgen.

Als ze stoppen op een parkeerterrein en Simon zijn auto tussen wat andere auto's zet, wacht hij tot ze uitstappen. Hij denkt: Dat is vast die vent waar ze gisteravond over belde dat ze niet bij me kon komen. Het is een zakenrelatie van haar vader en ze moest gisteravond mee uit dineren. Wat moet die vent met haar?

Ze stappen uit en lopen de markt over. Als ze bijna uit het zicht zijn, stapt Simon uit en volgt hen op een afstand.

Een echte snelle jongen, nee, hij heeft die vent nog nooit eerder gezien. Hij heeft wat met hun bedrijf te maken, maar wat moet hij samen met haar in haar auto? Zijn hart gaat sneller kloppen. Het is een soort drift die naar boven komt. Het is een knappe verschijning, hij lijkt wat ouder dan Francien en is dus vast geen jongen van school.

Als ze op een terrasje bij een restaurant gaan zitten en wat drinken, weet hij niet wat hij nu zal gaan doen. Er gewoon op af gaan? Nee, hij heeft zijn oude kleren aan en is hen zo van zijn werk gevolgd.

Hij loopt terug naar zijn auto en wacht tot ze weer terug-komen. Na een halfuur wachten ziet hij ze aankomen. Ze lachen vrolijk. Opnieuw gaat zijn bloed sneller stromen en komt er een soort jaloezie naar boven. Hoe lang kent ze die vent al? Ach hij is maar een boerenzoon. Hij had toch al van tevoren kunnen weten dat het niks zou worden. Haar vader wil niet eens dat hij met haar omgaat. Hoe haalt hij het in zijn hoofd om met een dochter te gaan van de rijkste man van het dorp. Haar vader kijkt wel uit met wie hij zijn enige dochter om laat gaan, al zijn geld zit immers in haar toekomst en daar hoort hij zeker niet bij. Wat heeft hij in zijn kop gehaald! Hij ziet ze wegrijden.

Simon start de motor van zijn auto en volgt ze niet meer. Hij rijdt de stad uit, naar huis terug, naar de boerderij. Hij zal het vanavond zelf maar gelijk uitmaken. Ze moet niet denken dat je een boerenzoon zomaar aan de kant kunt zet-ten, dan zal hij haar wel even voor zijn, piekert Simon opgewonden.

Toch heeft Simon een soort pijn, het is alsof er iets gebroken is in hem. Hij hield echt van haar en zij ook van hem. Of was het een soort ... Nee, ze hielden van elkaar. Maar die vent is knapper dan hij en geen boerenzoon, piekert Simon.

'Nee, niks voor mij, deze wagen,' zegt Ernst.
'Jullie Duitsers zijn verwend met jullie grote auto's. Jullie verpesten het klimaat. Wist je dat wel?' zegt Francien.
'Ach, laat je toch niks wijsmaken. Deze auto rijdt toch ook niet op water.'
'Toch is hij erg zuinig, zeker als je een Toyota Prius gaat rijden en dat is zeker zo'n grote auto als een Mercedes. Het gaat gewoon om het merk. Toyota is de Mercedes al een slag voor. Hij rijdt zuinig en schoon met zijn elektromotor en ook geruisloos. Weet je hoe wij hem noemen?'
'Nee.'
'Zoeff.'
'Wat een naam, zeg!'
'Weet je waarom?'
'Nee.'
'Omdat hij zoeft over de weg.'
'Je meent het.'
'Heb je nog nooit in zo'n auto gereden?'
'Nee, ik heb wel een kennis met een Lexus, die heeft ook zo'n elektromotor.'
'Die weg in daar,' zegt Francien dan ineens.
'Naar die Toyotadealer?'
'Dat heb je goed gezien.'
'Ga je voor mij een nieuwe Toyota kopen?'
'Gewoon even kijken. Ik heb nu een rijke man bij mij,' lacht Francien.
'Als je rijk weg laat, dan ben ik nog een man en ik hoop dat je deze man ook aardig vindt.'

'Nou dat moet ik eerst nog ondervinden. Je kunt niet zomaar een man aardig vinden,' zegt Francien terwijl ze uitstapt op het parkeerterrein bij de Toyotadealer.

'Ga je echt in die showroom kijken?'

'Waarom niet. Ze kennen mij hier goed.'

'Maar je vader rijdt toch ook een Mercedes?'

'Dat wel.'

'Kom je hier veel?'

'De dochter van de baas is een vriendin van mij.'

'En die heeft jou een Toyota aangesmeerd?'

'Nee, ik vind dat ze je hier netjes behandelen.'

'Dat wil ik dan wel eens meemaken.'

'Zullen we een grap uithalen?'

'Zeg het maar.'

'Jij doet net alsof je belangstelling hebt in een Toyota Prius en laat je voorlichten.'

'Dan wil ik ook een proefrit maken met jou,' lacht Ernst vrolijk, die wel van een geintje houdt. Hij heeft plezier in deze vlotte dochter van zijn zakenvriend.

Ze stappen de showroom binnen en Francien vraagt naar Rianna, haar vriendin.

Even later komt er een jongedame naar hen toe.

'Hoi, Francien.'

'Hallo, Rianna. Mag ik je voorstellen aan een zaken-vriend van mijn vader?'

Ernst stelt zich voor en geeft Rianna een hand.

'Kijk, daar staat een Prius,' zegt Francien terwijl ze naar de blinkende wagen wijst.

'Wil jij je auto inruilen voor een Prius?' vraagt Rianna, de dochter van de eigenaar.

'Ernst heeft er belangstelling voor. Hij rijdt zelf een Mercedes en ik kan hem niet overtuigen dat een Prius een bijzondere auto is. Je moet er eerst in gereden hebben voor je een Mercedes boven een Toyota stelt.'

'Dan moet hij een proefrit maken,' antwoordt Rianna.

'Als dat zou kunnen.'

'Dat kan altijd, zoals je weet, Francien.'

'Oké.'

'Komen jullie maar mee naar buiten. Ik heb er een rij-klaar staan. Wacht, dan haal ik even de sleutels.'

Ze lopen alvast naar buiten en later komt Rianna met de sleutels naar hen toe.

Ze stappen in de wagen.

'Zo, hoe zit deze wagen?' vraagt Francien als ze naast hem zit.

Rianna, die achterin is gaan zitten, legt uit hoe de bediening werkt en wat er allemaal in zit. Ernst start de motor van de Prius en zegt: 'Ik hoor niks. Zit er geen motor in?'

'Jawel, maar je hoort hem niet,' antwoordt Rianna.

'Vreemd, zeg.'

'Heerlijk, zo'n wagen,' zegt Francien met een knipoog naar haar vriendin via de spiegel.

'Nu zal ik maar uitstappen, ik wens jullie een fijne proefrit.'

'Zit er wel genoeg benzine in de tank?'

'Deze wagen is zo zuinig, je kunt er wel mee naar Duitsland rijden en weer terug en dan is de tank nog niet leeg,' lacht Rianna.

Als Rianna uit de auto is, rijden ze het terrein van de autodealer af en komen even later op de grote weg.

'Hoe voelt dit?' vraagt Francien.

'Niet gek.'

'Er zit ook veel in als je naar het dashboard kijkt.'

'Toch wel een beetje vreemd dat je bijna geen geluid hoort als je achter het stuur zit,' zegt Ernst.

'Wij noemen hem niet voor niets Zoeff.'

'Waarom rijdt je vader dan niet zo'n auto?'

'Dat vindt hij te min. Een grote zakenman moet een Mercedes rijden, niet dan?'

'Nou ja, het maakt meer indruk.'

'Nu voel je zelf dat zo'n Prius toch rustiger rijdt dan een andere wagen.'

'Dat wel,' geeft Ernst toe.

Als ze een halfuur gereden hebben en weer terugkomen bij de garage, krijgen ze koffie.

'Hoe is het bevallen?' vraagt Rianna.

'Fijne wagen.'

'Wilt u nog meer weten over deze Prius?'

'Ja, geeft u maar een paar folders mee over deze auto, dan kunnen we er eens over nadenken,' zegt Ernst.

Ze kijken nog even in de showroom rond en rijden dan terug in de Toyota Aygo, waar Ernst opnieuw zijn hoofd stoot als hij instapt.

Ze rijden langs het kanaal terug en in de verte zien ze de boerderij van Simon liggen.

'Dit is een mooi landschap,' zegt Ernst, als hij ziet dat Francien naar de boerderij in de verte kijkt.

'Daar woont een vriend van mij,' zegt Francien met een zachte stem. Ze ziet in de verte Simon bij een van de loodsen staan. Ze krijgt een rood hoofd van schaamte. Ze durft haar hand niet op te steken naar Simon nu ze met een andere man in haar auto zit en die man ook nog achter het stuur zit.

'Dus je hebt een vriend?'

'Ja, hij is boer.'

'Echt waar?'

'Is daar wat mis mee?' vraagt Francien dan kort.

'Nou ja, een rijke dochter van een groot zakenman ...'

'Wat heeft dat er mee te maken? Ik kies zelf mijn vrienden en mijn vader niet.'

'Rustig maar, je moet niet kwaad worden,' sust Ernst die

merkt dat ze wel wat om die jongen geeft.

Ze rijden de oprit op van het landhuis.

Als ze binnenkomen is er nog niemand thuis.

'Wil je wat drinken?' vraagt Francien terwijl ze naar de koelkast loopt.

'Ja, graag een biertje.'

'Drink je altijd overdag zoveel bier?'

'Veel bier?'

'Nou, dit is je derde al.'

'Wij Duitsers zijn bierdrinkers en weten hoever we kunnen gaan.'

'Een is al te veel als je auto rijdt,' zegt Francien kort.

'O, wat ben je streng, ik krijg medelijden met dat boertje van je.'

'Doe normaal, wil je!' zegt Francien nu kwaad.

'Sorry, zo bedoelde ik het niet.'

'Je zegt het anders wel.'

'Niet boos zijn.'

Ernst gaat weer op het terras zitten en even later gaat Francien bij hem zitten met een glas cola.

'Hoe laat dineren jullie?'

'Weet ik veel. Mijn vader komt ongeregeld thuis en mijn moeder zal wel wat eten halen of meebrengen.'

'Dan gaan we toch weer samen uit eten vanavond. Heb je zin?'

'Nee, ik heb een afspraak.'

'Zeker met …'

'Ja, dat boertje,' vult Francien kort in.

'Ik ben je gast, kan hij niet een keertje zonder je?'

'Je bent de gast van mijn vader.'

'Oké, je hebt gelijk, kan het dan niet voor een keertje?' vraagt Ernst, terwijl hij haar met zijn blauwe ogen aankijkt.

'Nou, goed dan.'

'Dat vind ik erg lief van je,' zegt Ernst.

'Dan zal ik eerst even bellen. Als je het goedvindt doe ik dat even op mijn kamer.'

'Ga je gang, ik heb tenslotte niks met jouw liefdesleven te maken.'

Francien geeft geen antwoord en gaat naar boven naar haar kamer.

Ze toetst het nummer van Simons mobieltje in.

'Ja, met mij. Mijn vader heeft een zakenrelatie bij ons in huis, nu kan ik vanavond niet komen. Het is nogal belangrijk voor mijn vader,' legt Francien uit.

Het is een tijdje stil aan de andere kant van de lijn, dan zegt Simon: 'Je gaat je gang maar met die vent!' en verbreekt de verbinding.

Francien toetst opnieuw zijn nummer in, maar hij heeft zijn mobiel uit staan.

'Wat een boer,' zegt Francien kwaad.

Ze gaat naar beneden en vraagt hoe laat Ernst van plan is te gaan.

'Zeg jij het maar.'

'Het is bijna zes uur.'

'Dan wordt het tijd om te gaan eten,' zegt Ernst terwijl hij opstaat.

'Ik kleed mij even om.'

'Oké.'

Even later komt Francien binnen in een vlotte jurk.

Als ze in hetzelfde restaurant zitten waar ze met haar ouders gisteravond heeft gegeten, nemen ze eerst een glas wijn.

Francien heeft het glas snel leeg.

'Je hebt dorst, zeg!'

'Ja.'

'Deed je vriend moeilijk?'

'Daar praat ik liever niet over.'

'Wil je nog een glas wijn?' vraagt Ernst, terwijl hij de fles uit de koeler haalt die op tafel staat. Hij vult haar glas.

'Goede wijn, vind je niet?'

'Ik ben geen regelmatige wijndrinker en heb er dus geen verstand van,' antwoordt Francien kort.

Ernst heeft in de gaten dat het niet goed gegaan is met het gesprek met haar vriend. Ze heeft hem al voor de tweede keer afgebeld toen ze gisteravond ook hier met haar ouders dineerden.

'Je moet je avond niet laten verpesten door je vriend. Je doet toch niks verkeerds. Is hij zo snel jaloers?'

'Nee, hoezo?'

'Francien, houd je niet van de domme.'

'Wat heb jij te maken met mijn vriend?'

'Toch wel, Francien.'

Francien kijkt hem vragend aan.

'Weet je, Francien, ik ken je kort, nou ja, hoe zal ik het zeggen ...'

'Een zakenman die niet weet hoe hij het zal zeggen,' lacht Francien die merkt dat zelfs deze knappe jonge zakenman verlegen kan zijn.

'Weet je, Francien ...'

'Nee, dat weet ik niet,' lacht Francien die nu wat vrolijk is geworden door de wijn.

Ernst pakt haar hand over de tafel en houdt die vast.

Ze kijkt naar Ernst die haar ernstig aankijkt.

'Kunnen wij ... nou ja, wil je mij?'

'Nee, Ernst, je weet dat ik een vriend heb.'

'Dat is wel zo, maar geef mij ook een kans? Ik geef echt veel om je, Francien.'

'Laten we gaan,' zegt Francien terwijl ze opstaat.

'Maar we moeten nog eten, Francien.'

'Ik heb geen honger meer.' Ze loopt het restaurant uit naar haar auto.

Ernst rekent snel af en stapt bij haar in de auto. Ze rijden naar huis en eten bij haar moeder die al wat eten heeft gehaald.

'Wat zijn jullie laat, zeg,' vraagt Ria.

Francien geeft geen antwoord en ook Ernst zegt niks.

8

Francien toetst nog een paar keer het nummer van Simon in, maar hij heeft zijn mobiel nog steeds uit staan.

De volgende morgen, na slecht te hebben geslapen, gaat ze niet naar school. Ze weet dat Simon kwaad op haar is. Waarom is ze dan ook met Ernst meegegaan. Waar is ze mee bezig? Hij geeft om haar, maar Simon?

Ze staat op en gaat aan de ontbijttafel zitten. Ernst en haar vader zijn al weg voor zaken.

'Wat is er met jou?'

'Niks,' antwoordt Francien kort.

'Je bent wel laat. Slecht geslapen?' vraagt haar moeder.

Francien geeft geen antwoord.

'Moet je niet naar school?'

'Ma, ik ben geen klein kind meer.'

'De school is belangrijk voor je.'

'Laat me met rust, ik ga niet meer naar school.'

'Nou ja, je moet het zelf weten. Je kunt ook bij je vader op kantoor gaat werken.'

'Nee, nooit!' antwoordt Francien fel.

'Is er wat gebeurd met jou en Ernst gisteravond?'

'Ik wil zijn naam niet meer horen.'

'Doe een beetje gewoon, zeg.'

Francien staat op zonder te danken. Ze gaat naar boven naar haar kamer en gaat zich dan douchen en aankleden. Dan gaat ze weer naar beneden en trekt haar jack in de hal aan.

'Waar ga je heen?'

'Naar die boerenzoon,' antwoordt Francien kwaad.

Ria pakt haar bij haar arm en zegt: 'Ik heb niks tegen Simon.'

'Ach, jullie altijd.'

'Zeg dan wat er is.'

'Dat kan ik nog niet.'

'Heeft het met Ernst te maken?'

'Nogmaals, ik wil die naam niet meer horen.'

Francien loopt naar haar auto, stapt in, gooit het portier van haar auto hard dicht en rijdt weg.

Onderweg piekert ze over Simon en is ze toch wel erg nerveus.

Ze rijdt het boerenerf op en stapt uit haar auto. Ze ziet Simon met een kruiwagen over het erf rijden.

Ze loopt naar hem toe. Simon doet net alsof hij haar niet ziet.

Francien gaat voor de kruiwagen staan zodat hij niet verder kan.

'Wat zoek jij hier?'

'Wat is er met jou, Simon?'

'Dat weet je heel goed.'

'Maar Simon, er is helemaal niks gebeurd!'

'Laat mij niet lachen. Je rijdt met die vent de hele stad door en gaat 's avonds met hem uit eten. Ik ben wel een gewone boerenzoon, maar niet gek!' valt Simon kwaad uit.

'Echt Simon, ik heb niks met hem, het heeft te maken met zaken van mijn vader en hij logeert bij ons.'

'Dus hij slaapt nog bij je ook,' zegt Simon met een gemeen lachje op zijn gezicht.

'Wat wil je daarmee zeggen?'

'Dat je met hem naar bed gaat.'

'Jij weet niet wat je zegt.'

'O nee? Als ik jou was zou ik maar hier weggaan.'

'Maar Simon,' dan komen er tranen en snikt Francien: 'wat ben jij gemeen.'

'Wie is er gemeen? Je gaat met een vreemde vent toeren

door de stad en dat vind jij gewoon?'

'Ik heb er spijt van, Simon. Toe, geloof mij nou.' Ze pakt hem bij zijn arm en kijkt hem smekend aan.

Simon zet de kruiwagen aan de kant. Hij gaat recht voor haar staan en zegt met een harde stem: 'Francien, het is uit tussen ons, ik laat mij niet als een minder soort behandelen.'

'Maar dat doe ik helemaal niet.'

'Dat doen jullie wel. Jouw ouders vinden mij ook te min. Ze hebben liever dat je trouwt met die vent in dat apenpak. Het is zo beter.'

'Nee, Simon. Het gaat om ons en niet om mijn ouders, ik heb niks met Ernst.'

'Mooie naam, heel wat anders dan Simon de boerenzoon,' lacht Simon gemeen.

'Geef mij nog een kans,' smeekt Francien.

'Nee, het was toch nooit wat geworden tussen ons. Jij bent een rijke dochter van een rijke zakenman en ik ben een zoon van een boertje dat elke dag hard moet werken om zijn brood te verdienen. Zie jij jezelf al hier op de boerderij?'

'Dat heeft niks met liefde te maken. Houd je dan niet meer van mij?'

'Dat kan ik niet meer.'

'Alleen omdat je mij met die vent in mijn auto hebt gezien, die een zakenvriend is van mijn vader?'

'Dat ook, ja.'

'Simon, Simon, ik houd van je,' snikt Francien.

'Het is uit tussen ons, Francien.'

'Meen je dat echt, Simon?'

'Ja.'

Dan draait Francien zich om, loopt naar haar auto en rijdt het erf af. Ze rijdt langs het kanaal de snelweg op en rijdt zo naar de stad. Ze parkeert haar auto en stapt uit. Ze loopt door de stad en gaat een café in.

'Wat ben jij vroeg, kind?' vraagt een vrouw achter de bar die Francien wel kent. Ze is er vaak met vrienden van school geweest.

'Moeilijkheden?'

Francien geeft geen antwoord en gaat op een van de barkrukken zitten.

'Slecht geslapen?'

'Gaat wel,' antwoordt Francien.

'Wil je wat drinken?'

'Ja.'

'Zeg het maar, kind, wil je koffie?'

'Nee … geef mij maar een glas bier.'

'Maar kind, op de vroege morgen al een glas bier, zou je dat wel doen? Dat is niks voor jou.'

'Ik heb dorst.'

'Nou ja, je moet het zelf weten. Je bent oud en wijs genoeg.'

Francien drinkt in een paar teugen het glas leeg.

Als Francien drie glazen gedronken heeft en raar begint te lachen, zegt de vrouw achter de bar: 'Je moet nu maar gaan. Het is nog veel te vroeg om zoveel te drinken.'

'Ik ga al,' zegt Francien terwijl ze een briefje van twintig op de bar gooit.

'Wacht, je krijgt nog geld terug.'

'Houd ik wel te goed!' roept Francien terwijl ze de deur van het café opendoet en naar buiten loopt.

De wereld ziet er ineens heel anders uit. Ze loopt met een glimlach op haar gezicht naar haar auto en gaat achter het stuur zitten. Ze rijdt het parkeerterrein af naar de rand van de stad en stopt voor een groot kantoor.

Francien, die niet gewend is zoveel bier te drinken en zeker niet op de vroege morgen, is helemaal in een vrolijke bui en lacht als ze het kantoor van haar vader binnenstapt.

Het meisje dat achter de balie zit en Francien niet kent vraagt: 'Wat kan ik voor u doen?'

'Doorwerken, hier staat de grote baas voor je.'

'Wat bedoelt u?'

'Ben je soms doof!' roept Francien.

Het meisje kent Francien niet en weet dus niet dat zij de dochter van de grote baas is.

'Kan ik u ergens mee van dienst zijn?' vraagt het meisje nog eens.

'Doorwerken zeg ik toch!' roept Francien opnieuw.

Ze gaat naar boven het grote kantoor binnen waar haar vader met Ernst en nog wat heren aan het vergaderen is. Ze kijken allemaal verbaasd als ze Francien bij de deur zien staan.

Ze loopt naar haar vader en gaat achter zijn stoel staan. Ze lacht tegen Ernst en de anderen en zegt: 'Goedemorgen heren. Dit is mijn geliefde vader en houdt u er vast rekening mee dat ik hier de baas word, hè pa?'

Vincent staat op en zegt verbaasd en geschrokken: 'Wat is er met jou aan de hand?'

'Ik kom eens kijken of er wel gewerkt wordt,' lacht Francien vreemd.

Vincent pakt zijn dochter bij haar arm en sleurt haar het kantoor uit. Hij brengt haar naar de toiletruimte en houdt haar hoofd onder de koude kraan. Hij ruikt de alcohollucht.

Francien begint hevig te gillen als het koude water over haar hoofd stroomt. Dan komt Ernst binnen. Hij sluit de deur achter zich en haalt Francien onder de kraan vandaan door de armen van Vincent weg te duwen, zodat Vincent haar loslaat.

Ernst geeft Francien een handdoek. Ze droogt haar gezicht en kijkt boos naar haar vader.

'Wat heeft dit te betekenen?' vraagt Vincent kwaad.

Francien geeft geen antwoord. Dan zakt ze in elkaar en

zakt snikkend op de grond. Ernst gaat op zijn knieën voor haar zitten. Dan tilt hij haar op en brengt haar naar een kamer waar een bank staat. Hij legt haar op de bank en gaat bij haar zitten.

'Je bent wat in de war, Francien, hier, neem een glaasje water, daar word je rustig van.'

Dan komt haar vader binnen en kijkt haar kwaad aan.

'Waarom heb je op de vroege morgen zoveel gedronken?'

Ze geeft geen antwoord. Vincent schudt haar door elkaar en is overstuur.

'Gaat u maar rustig zitten, ze is gewoon wat in de war,' sust Ernst.

'Wat jij gewoon vindt.'

'Zal ik je naar huis brengen?' vraagt Ernst.

Francien knikt. Ze gaat zitten en moet dan hevig overgeven.

'Ik schaam mij rot!' roept Vincent overstuur.

'Rustig maar, ze heeft vast problemen,' zegt Ernst die snel een prullenbak pakt en die onder haar kin houdt. Ze ziet vreselijk wit.

'Gaat u maar door met de vergadering, dan breng ik uw dochter wel naar huis. Zeg maar tegen de andere heren dat ze wat in de war is.'

'Jij hebt mooi praten. Ze lijkt wel niet goed wijs.'

'Het komt allemaal wel weer goed.'

'Wat moeten die heren wel niet denken.'

'Uw dochter is nu belangrijker dan die heren, ja toch?'

'Nee!' schreeuwt Vincent, terwijl hij de kamer uit loopt en de deur achter zich dicht gooit.

'Gaat het een beetje, Francien?'

Ernst geeft Francien wat water te drinken en veegt haar gezicht af met een natte doek.

Francien begint opnieuw te huilen en praat wartaal.

'Rustig maar, kun je op je benen staan?'

Ernst helpt haar overeind. Hij ondersteunt haar naar buiten naar haar auto en gaat dan achter het stuur zitten.

'Gaat het, Francien?'

Francien geeft geen antwoord. Als ze bij het ouderlijk huis van Francien zijn, helpt Ernst haar uit de auto. De deur van het grote landhuis gaat al open.

'Francien, Francien, wat is er gebeurd?' vraagt Ria, als ze ziet dat Ernst haar ondersteunt.

'Het is niet ernstig,' zegt Ernst geruststellend.

'Je ruikt naar alcohol, waar ben je geweest?' vraagt Ria ongerust.

'Het komt wel in orde,' zegt Ernst die Francien in de kamer op de bank legt.

'Heeft u een glas water voor haar?' vraagt Ernst.

'O ja.'

Even later komt Ria met een glas water. Francien drinkt het glas leeg, maar begint dan weer hevig over te geven.

'Wat is er toch met haar gebeurd?' vraagt Ria opnieuw.

'Wil je niet liever naar bed?'

Francien staat op, maar is erg duizelig. Ernst tilt haar op en draagt haar naar boven, naar haar kamer.

Ria komt met een nat washandje als Francien op haar bed ligt en maakt haar gezicht schoon van het overgeven.

'Geeft u haar maar een paar paracetamol, dan valt ze wel in slaap,' zegt Ernst.

Als ze naar beneden gaan en Ria aan Ernst vraagt wat er gebeurd is, zegt Ernst: 'Het is beter dat ik er niet over praat.'

'Waar heb je haar ontmoet?'

'Op kantoor bij uw man.'

'Wat moest ze daar doen?'

'Dat kunt u beter aan haar zelf vragen als ze wat opgeknapt is.'

Dan stopt er een grote Mercedes voor de deur.

Vincent komt binnen. Hij kijkt de kamer rond en vraagt:
'Waar is ze!'
'Ze slaapt,' antwoordt Ria voorzichtig.
Vincent wil de trap opgaan.
'Nee, niet doen, Vincent.'
Ernst houdt hem ook tegen.
'Dit gaat mij te ver, ik laat mijn zaak niet kapotmaken
door zo'n schandaal!' roept Vincent overstuur.
'Wat is er gebeurd?' vraagt Ria.
'Ze kwam stomdronken bij ons op kantoor en ging even
vertellen dat zij mijn dochter is. Nou ja, het is te gek voor
woorden, mijn dochter, ze moesten eens weten!' schreeuwt
Vincent door de kamer.
'Rustig nou, Vincent.'
'Het lijkt mij verstandig dat ik nu terugga naar kantoor
en jullie het uitpraten,' zegt Ernst die merkt dat hij er nu
een te veel is.
Ernst gaat in de auto van Francien terug naar kantoor.
'Wat is hier gebeurd?' vraagt Vincent aan Ria.
'Ze is vanmorgen weggegaan.'
'Niet naar school?'
'Nee, ze wil niet meer naar school,' antwoordt Ria.
'Ze heeft gedronken.'
'Niet hier thuis,' antwoordt Ria.
'Het is nu afgelopen.'
'Wat wil je daarmee zeggen?'
'Ik wil haar niet meer zien. Ze heeft mij te schande
gemaakt op mijn eigen kantoor bij zakenmensen. Wat zul-
len die mensen wel niet denken.'
'Wat wil je er dan aan doen?'
'Als ze nuchter is kan ze vertrekken.'
'Maar dat gaat zo maar niet, Vincent, het is ons kind.'
'Jouw kind, zul je bedoelen.'
Dan begint Ria te huilen.

'Dit kan zo niet langer, laat ze maar naar die boer gaan, daar hoort ze thuis.'

'Nee, ze blijft hier.'

'Ze gaat het huis uit. Ik zal een appartement voor haar ter beschikking stellen in de stad, dan kan ze daar wonen.'

'Maar dat gaat toch niet, Vincent, het is onze dochter, je hebt beloofd ...'

'Dacht je echt dat ik haar nog meer kapot laat maken? Ze doet dit allemaal expres. Ze gaat met een boerenzoon om, om mij te pesten en nu kwam ze op kantoor om mij te schande te maken voor mijn zakenrelaties.'

'Ze zal wel moeilijkheden hebben. Ze was vanmorgen al wat in de war. Ze wilde niet naar school. Het is gisteravond verkeerd gegaan, ze is toen weggeweest met Ernst. Er moet wat gebeurd zijn, ze wil er niet over praten.'

'Ernst is een nette vent. Had ik maar zo'n zoon. Het is een goede zakenman.'

'Hij is goed voor Francien. Hij heeft haar naar boven gedragen en op haar bed gelegd.'

Vincent loopt wat heen en weer door de kamer en zegt: 'Toch kan ze hier niet blijven.'

'Waarom niet?'

'Ze kan beter naar die boer gaan.'

'Maar ze is pas twintig.'

'Het is geen kind meer. Wie gaat zich op de vroege morgen bedrinken!'

'Dat is niks voor Francien, dit is nog nooit gebeurd. Ze drinkt wel eens een wijntje bij het eten of een feestje. Er moet wat gebeurd zijn,' zegt Ria wat nerveus.

'Waarom moet ze dan altijd mij hebben?' vraagt Vincent terwijl hij Ria aankijkt.

'Is er wat tussen jullie wat ik niet weet?' vraagt Ria dan voorzichtig.

'Niet dat ik weet, nou ja, de laatste tijd hebben we vaak

woorden om die boerenzoon,' antwoordt Vincent.

'Waarom maak jij je daar druk om?'

'Dat heb ik al vaak genoeg uitgelegd.'

'Je bedoelt in verband met ons kantoor?'

'Dat is nu ook voorbij. Ik zit er hard over te denken om de zaak te verkopen en eruit te stappen.'

'Heb je nog meer met mijn dochter?' vraagt Ria opnieuw voorzichtig terwijl ze Vincent aankijkt.

'Wat bedoel je met *jouw* dochter?'

'Je weet wat ik heb meegemaakt in mijn jeugd, ik wil dat mijn kind een beter leven krijgt.'

'Ze heeft alles wat haar hartje begeert, wat wil ze nog meer?'

'Ze is de laatste tijd erg onrustig.'

'Dat komt door die boerenjongen. Ze kan beter krijgen,' scheldt Vincent.

'Nee.'

'Wat nee?'

'Zolang ze nog niet op eigen benen kan staan blijft ze bij mij.'

'Dan vertrek ik wel!'

'Vincent, ik kan goed begrijpen dat je het erg vindt wat Francien gedaan heeft, maar dit heeft een oorzaak.'

'Dat zeg ik toch, die boerenzoon maakt haar gek.'

'Waar maakt hij haar gek mee?'

'Stel je voor dat ze met hem gaat trouwen.'

'Wat zou dat?'

'Die boer denkt later alles te erven.'

'Zo zit die jongen niet in elkaar. Je gaat nu te ver, Vincent.'

'Hij kan haar dwingen. Ze heeft zich niet voor niets vol gedronken op de vroege morgen,' zegt Vincent.

'Laten we eerst rustig met haar praten als ze weer wat beter is. Er is wat gebeurd en ik wil het uit haar eigen mond horen,' zegt Ria vastbesloten.

9

Als Ria de volgende morgen opstaat en het ontbijt klaar-
maakt, omdat Vincent al vroeg weg moet naar Duitsland,
gaat ze daarna naar de kamer van Francien. Ze schrikt als
ze het bed leeg ziet. Ze loopt naar de badkamer en als ze
haar nergens kan vinden roept ze door het huis: 'Francien!
Francien!!'

Dan ziet ze dat Franciens kleren en jack weg zijn. Ze is
ervandoor. Waarom? Zou ze het weten ... nee ... ze was
gister al overstuur. Zou ze naar Simon zijn? Eerst maar
eens bellen naar Simon. Ze toetst het nummer van de familie Heinzen in en krijgt de moeder van Simon aan de
lijn.

'Goedemorgen, mevrouw Milder.'

'U belt al vroeg.'

'Ja, is Francien bij jullie?'

'Nee.'

'Mag ik uw zoon Simon even spreken?'

'Ja, ik zal hem roepen, hij is in de stal bezig.'

Even later komt Simon aan de lijn en zegt kort: 'Ja, met
Simon?'

'Simon, weet jij waar Francien kan zijn?'

'Waarom zou ik dat moeten weten?'

'Ze is weg.'

'Ze zal er wel vandoor zijn met haar vriend.'

'Welke vriend?'

'U moet zich niet dom houden. U weet heel goed wie ik
bedoel.'

'Ze heeft toch verkering met jou?'

'Niet meer, ik heb het uitgemaakt.'

'O.'

'Maakt u zich niet ongerust, ze zal wel met hem mee zijn naar Duitsland.'

'Nee, dat kan niet als je Ernst bedoelt.'

'Ja, die bedoel ik.'

'Ernst is met mijn man mee naar Duitsland voor zaken.'

'Ze zal wel meegegaan zijn.'

'Nee, echt niet, ik heb mijn man met Ernst zien vertrekken en de auto van Francien is ook weg.'

'Dan zou ik het ook niet weten,' antwoordt Simon.

'Simon, er is gisteren wat gebeurd.'

'Ja, dat weet ik.'

'Wat weet jij?'

'Ik heb haar samen met die vent gezien in haar auto en heb het uitgemaakt toen ze hier kwam,' legt Simon uit.

'Simon, kan ik met je praten?'

'Dat doen we toch.'

'Wil je even hierheen komen?'

'Nee, liever niet.'

'Simon, alsjeblieft.'

'Het is uit tussen ons.'

'Ik kom wel naar jullie,' zegt Ria met een snik.

'Ik kan u niet tegenhouden, mevrouw.'

Simon verbreekt de verbinding. Hij kijkt zijn moeder aan die in de woonkeuken zit en vraagt: 'Wat is er met Francien?'

'Ze is ervandoor.'

'Hoe bedoel, je ervandoor?'

'Haar moeder weet niet waar ze is.'

'Het is geen kind meer.'

'Nee.'

'Ben je ongerust, Simon?' vraagt zijn moeder als ze ziet dat haar zoon haar bezorgd aankijkt.

'Ik heb het uitgemaakt.'

'Waarom?'

'Het is geen partij voor mij, dat weet u heel goed.'

'Dat wist je van tevoren.'

'Dat wel, maar we konden goed met elkaar.'

'Houd je van haar, Simon?'

'Ja.'

'Waarom heb je het dan toch uitgemaakt?'

'Ze ging met die Duitse man om die bij hen logeert.'

'Was dat een vriend van haar?'

'Hij doet zaken met haar vader. Het zal ook wel zo'n gladjanus zijn die met weinig werken veel geld verdient,' antwoordt Simon.

'Dus je hebt het uitgemaakt omdat ze met die vent omging?'

'Ja. Ze reden met haar auto hier langs het kanaal. Hij zat achter het stuur. Ik ben ze gevolgd. Ze gingen samen in een restaurant wat drinken. Vindt u dat normaal?'

'In die kringen is dat normaal, Simon. Het zijn zakenmensen. Als je met zo'n meisje gaat, kun je dat verwachten. Ze zal haar vader bijstaan in het zakendoen. Zij is hun enig kind en zal later de zaak overnemen. Ze zal wat verstand van zaken moeten hebben en daar heeft ze geen boerenzoon bij nodig.'

'Dus u denkt dat ze zaken doet voor haar vader?'

'Het zou kunnen.'

'Ze heeft mij twee keer afgebeld.'

'Dat is normaal voor zakenmensen.'

'Nee, ik geloof niet dat ze zich met zaken van haar vader bemoeit. Ze houdt van een avontuurtje en dan komt ze hierheen alsof er niks gebeurd is.'

'Heeft ze het jou uitgelegd?'

'Ik geloof haar niet.'

'Je bent gewoon jaloers.'

'Nou en?'

'Het is zo beter Simon, het is geen meisje voor jou. Wel jammer, want ze had geen verbeelding en het is een lief kind,' zegt zijn moeder eerlijk.

'Die ouders moeten mij niet. Ze kwam hier vaak, bij hen ben ik nooit geweest.'

'Waarom niet?'

'Dat wilde ik zelf niet.'

'Had je een hekel aan haar ouders?'

'Dat niet zo. Het is ons soort mensen niet. Francien was heel anders dan haar ouders.'

'In het ziekenhuis heb ik haar ouders ontmoet. Haar moeder is een aardige vrouw, maar die vader heeft het hoog in zijn bol.'

'Zelfs tegen zijn eigen dochter doet hij vreemd,' reageert Simon.

'Wat is vreemd?'

'Hij hield duidelijk afstand van haar. Ze vertelde mij dat ze niet zo goed met haar vader overweg kon.'

'Ach, dat komt in de beste families voor,' zegt zijn moeder met een gemaakt lachje.

'Als je eigen dochter zo over haar vader praat, dan is er iets niet goed, ma.'

'Je trouwt niet met haar ouders, moet je maar denken.'

'Toch krijg ik er mee te maken en Francien kan geen beslissing nemen of ze met een boerenzoon wil trouwen.'

'Maar ze houdt toch van je?'

'Dat wel, ja.'

'Dan is het toch goed?'

'Ik wil boer blijven en niet op een muf kantoor zitten mijn hele leven.'

'Je kunt toch gewoon boer blijven en zij kan later de zaak verkopen als haar vader ermee stopt.'

'Dat zal haar vader nooit goedvinden zolang hij leeft,' antwoordt Simon.

'Maak je daar niet druk om. Als jullie echt van elkaar houden, dan wint de liefde het altijd. Ja toch?'

'U hebt makkelijk praten als vrouw van een boer.'

'Jullie moeten het samen eens worden zonder jullie ouders. Wij maken ons daar niet druk over. Je vader en ik vinden het prima als je kiest voor haar en je geen boer wilt worden maar bij hen in de zaak gaat.'

'Nee, ma, nooit!'

'Zeg nooit: Nooit! Het leven kan anders lopen dan wij vaak willen. Hij hierboven bestuurt ons leven en daar moeten wij vertrouwen in hebben en dan vallen alle aardse dingen vanzelf weg.'

'Daar heeft u wel gelijk in. Toch zit het boerenleven in mijn bloed en dat zal ik nooit verloochenen.'

'Het is goed, jongen. Vraag maar vaak aan de Heere God of Hij je leven wil besturen.'

Simon geeft geen antwoord en gaat naar buiten zijn werk doen.

Dan ziet hij een grote glimmende Mercedes het erf oprijden. Er stapt een dame uit. Hij vermoedt dat het de moeder van Francien is. Simon loopt naar haar toe en zegt: 'Zo, was u daar?'

'Ja.' Ria wil hem een hand geven.

'Neemt u mij niet kwalijk. Een boer heeft meestal vieze handen, mevrouw.'

'Dat geeft niet.' Ria geeft Simon een hand en vraagt gelijk: 'Heb je nog wat van haar gehoord?'

'Van Francien?'

'Ja?'

'Nee, ik heb niets van haar gehoord.'

'Zij heeft wel haar mobieltje bij zich en ik heb steeds geprobeerd haar te bereiken, maar ze heeft haar mobieltje uit staan,' legt Ria uit.

'Dat zal wel.'

'Weet jij waar ze zijn kan, Simon?'

'Komt u maar even mee naar binnen, dat praat makkelijker,' zegt Simon terwijl hij de deur openhoudt en ze naar de grote woonkeuken lopen waar zijn moeder achter het aanrecht staat.

'O, dag mevrouw. Bent u niet de moeder van Francien?'

'Ja.'

'Gaat u zitten, dan maak ik een kopje koffie, of heeft u liever thee of wat anders?'

'Koffie heb ik echt wel nodig,' antwoordt Ria met een zachte stem.

Ria gaat achter de grote tafel zitten in de woonkeuken. Als de koffie op tafel staat vraagt de moeder van Simon: 'Willen jullie alleen zijn?'

'Nee, u kunt er gerust bij blijven,' antwoordt Ria wat overstuur.

Simon kijkt haar aan en vraagt: 'Zijn er moeilijkheden met Francien?'

'Nou ja, heeft ze je dingen verteld ...' Verder komt Ria niet. Ze houdt haar hand voor haar gezicht en huilt zachtjes. De boerin legt haar hand op haar schouder en troost haar.

'U moet niet overstuur raken. Francien is een net meisje, die komt wel weer naar huis.'

Ria schudt haar hoofd, droogt haar tranen en zegt dan met een nerveuze stem: 'Het gaat niet goed met Francien, ze is helemaal in de war.'

'Wat is er dan gebeurd?' vraagt Simon.

'Dat weet ik niet precies, ze is gisteren niet naar school gegaan, maar naar het kantoor van haar vader en heeft er dingen gezegd waar zakenrelaties bij waren. Voor mijn man was het erg,' snikt Ria.

'Wat heeft ze gezegd?'

'Dat weet ik niet precies, het ergste was dat ze te veel

gedronken had. Ze hebben haar naar huis gebracht. Ze is niet gewend zo veel te drinken. Ze was dan ook erg ziek.'

'Waarom deed ze dat?' vraagt zijn moeder.

Ria kijkt Simon met een rood behuilde ogen aan.

'Ze ging weg toen ik het uit heb gemaakt.'

'Waarom heb je het uitgemaakt, Simon?' vraagt Ria.

'Ze gaat met een ander en dat weet u heel goed. Al ben ik een minder soort mens in jullie ogen, daarom laat ik mij nog niet ... nou ja, u weet wel wat ik bedoel.'

'Maar zo is Francien niet, ze houdt heel veel van je.'

'Waarom gaat ze dan met die vent uit, belt ze mij twee avonden af en komt dan hierheen alsof er niks gebeurd is? Het was toevallig dat ik ze langs het kanaal zag rijden en Franciens herkende. Ik ben ze toen gevolgd,' legt Simon uit.

'Ernst logeerde bij ons. Hij is een zakenvriend van mijn man.'

'Daar heb ik niks mee te maken. Het is uit en verder moet ze het maar uitzoeken,' zegt Simon nu kwaad. Hij wil opstaan en naar buiten gaan.

'Blijf zitten, Simon!' zegt zijn moeder.

Simon gaat weer zitten en zegt dan: 'U moet niet denken dat ik haar achternaga. Het is uit, punt uit!'

'Simon, ik kan je goed begrijpen, toch ben ik bang dat er wat gebeurd is met haar. Ze heeft gisteren ook zo vreemd gedaan. Zich bedrinken en mijn man op kantoor te schande maken. Er is wat met haar, ik ben zo bang.'

'Waar bent u bang voor?'

'Dat ze ...' Verder komt Ria niet en opnieuw gaat haar hand voor haar gezicht.

'U moet nu flink zijn,' zegt de moeder van Simon.

'Weet haar vader het al?'

'Nee, die is naar Duitsland met Ernst. Ze beginnen daar een groot project.'

'Moet u uw man dan niet bellen of hij naar huis komt? U bent helemaal overstuur.'

'Nee, nee, liever niet.'

'Wat wilt u dan gaan doen? De politie kunt u nog niet waarschuwen, het is geen kind.'

'Ze is wel overstuur, ze is uit huis gevlucht.'

'Ze zal best wel weer naar huis komen,' zegt Simon.

'Waarom wilt u uw man niet op de hoogte stellen?'

'Mijn man wil niet gestoord worden als hij zaken doet.'

'Het is toch ook zijn kind?'

Dan laat Ria haar hoofd zakken als ze hoort zeggen: 'Het is toch ook zijn kind.' Deze mensen moesten eens weten dat het zijn kind niet is. Waarom kan er nu nooit eens rust in haar leven zijn en waarom is haar man zo opstandig geworden tegenover haar en haar dochter. Heeft Ernst hier wat mee te maken? piekert Ria. Waarom weet zij zo weinig over haar man in Duitsland. Hij gaat er zo vaak heen en logeert altijd bij Ernst en zijn moeder. Ze heeft nooit contact met haar gehad. Wat heeft Vincent hiermee te maken? Ernst is een lieve jongen, nee, ze mag zo niet denken, piekert Ria.

'U moet wat tot rust komen,' zegt Simons moeder.

'Laat ik maar weer naar huis gaan, jullie kunnen mij ook niet helpen.'

'Nee. Als ze soms hier komt, dan bel ik u wel,' zegt Simon die blij is dat ze gaat.

Dan rijdt Ria het erf af en rijdt naar de stad.

Met wie kan ze praten? Zal ze dan toch naar Nel, haar vriendin, gaan waar ze vroeger altijd omgang mee had vanaf haar schooltijd. De laatste tijd wilde Vincent dat ze niet meer naar haar toe ging. Hij is bang dat ze over het verleden gaat praten.

Ze stopt voor het appartement waar Nel woont en drukt

op de bel. Gelukkig is ze thuis.

'Hallo, kom er in joh, wat zie jij eruit, zeg!'

Ria laat zich op een stoel vallen en snikt: 'Francien is het huis uit gevlucht.'

'Alweer?'

'De eerste keer heeft Vincent haar de deur uit gezet. Nu is ze zomaar weggegaan, ik ben zo bang dat ze alles weet.'

'Wat wil je daarmee zeggen?'

Ria richt haar hoofd op. Ze kijkt haar vriendin aan en antwoordt: 'Het is allemaal zo moeilijk. Ik mag en kan er met niemand over praten en nu zelfs met mijn eigen man niet meer. Hij zit meer in Duitsland dan op zijn eigen kantoor.'

'Je hebt een vriendin. Als jij er met niemand over kunt praten, dan moet je er met mij over praten en zeker nu ook je eigen kind de deur uit is. Vroeger op school zat je ook al zo dicht als een pot. Je was vaak afwezig en die stiefvader van je was ook geen vader voor je. Je had geluk dat je een fijne man trouwde die ook nog erg rijk was. Je zou zeggen dat jij het hebt gemaakt. Ik ben maar met een gewone monteur getrouwd.'

'Dat maakt toch niks uit. Wat heb je aan geld als je niet gelukkig bent.'

'Maar dat hoeft toch niet. Jij was in je jeugd al ongelukkig door die stiefvader van je. Je moest al op je twintigste trouwen en je was zo al snel van die stiefvader van je af. Jullie moesten trouwen, je was daar geheimzinnig over.'

'Nou ja, ik was in verwachting voor we trouwden.'

'Zo was je mooi van je stiefvader af en trouwde je een lieve man. Vincent had echt geen verbeelding, ook al was hij schatrijk en kwam jij in dat grote landhuis te wonen. Samen kregen jullie een schat van een dochter die nu alweer twintig is.'

'Ja.'

'Wat is er met jou? Je stiefvader leeft niet meer, waarom ben je zo? Ik bedoel, je hebt een lieve man die hard werkt.'

'Hij is meer in Duitsland dan bij mij.'

'Dat wist je.'

'Toch is alles anders en ik zit over Francien in, waar ze is. Ze doet de laatste tijd erg vreemd.'

'Wat is vreemd?'

Dan vertelt Ria over Francien dat ze dronken naar het kantoor van haar man ging en daar ruzie maakte terwijl haar vader in vergadering was met zakenmensen.'

'En daarom is Francien het huis uit?'

'Ze heeft verkering met een boerenzoon en die heeft het uitgemaakt.'

'Is ze daar overstuur van?'

'Alles bij elkaar, denk ik. Ze kon de laatste tijd niet meer met haar vader opschieten. Hij wilde niet dat ze met die boerenzoon om zou gaan.'

'Daarom is die Duitse jongen zeker bij jullie?'

'Dat weet ik niet, het is wel een lieve jongen.'

'Maar Francien houdt meer van die boerenzoon?'

'Ja.'

'En dat vindt Vincent maar niks?'

'Nee.'

'Hij is zelf toch ook met jou getrouwd en jij kwam ook uit een gewoon gezin. Nou ja, laat ik daar maar over zwijgen. Je hebt thuis genoeg meegemaakt met die stiefvader van je. Je moeder was een goed mens. Jammer dat ze met die kerel is getrouwd.'

'Ja, het is nog erger dan jij denkt, Nel.'

'Dat zou kunnen. Je was vaak overstuur en stil als je bij ons thuiskwam vroeger, maar je wilde er nooit over praten. Je moet niet altijd alles alleen verwerken. Je hebt een man en een dochter waar je mee kunt praten,' zegt Nel.

10

Francien rijdt naar de stad en zet haar auto op een parkeerterrein bij een groot appartement. Ze stapt uit en loopt
naar de ingang van het appartementencomplex. Ze belt op
een van de nummers aan. Een stem vraagt aan de huistele-
foon: 'Ja, met Rianna?'

'Ik ben het, Francien.'

De deur van het appartementencomplex gaat open. Ze
gaat met de lift naar boven. Rianna staat bij de deur op haar
te wachten en vraagt: 'Wat brengt jou zo onverwachts hier
naar mij?'

Francien geeft geen antwoord en loopt naar binnen. Ze
gaat in de grote woonkamer op een van de stoelen zitten en
begint te huilen.

'Wat is er met jou?'

Francien schudt haar hoofd. Rianna haalt een glas water.

'Hier, drink wat.'

Francien neemt een paar slokken en veegt haar tranen
weg.

Rianna gaat tegenover haar zitten en vraagt: 'Zijn er
moeilijkheden?'

Francien knikt.

Even later drinken ze alle twee een mok koffie.

'Heb je thuis moeilijkheden of zo?'

'Ja.'

'Zeker met je vader?'

'Ja.'

'Waarom ga je niet op jezelf wonen, net als ik?'

'Daar wilde ik met je over praten,' antwoordt Francien
dan.

'Er is hier een appartement leeg.'

'Ik weet niet of ik alleen durf te wonen.'

'Dat went vanzelf. Weet je wat, ik heb een idee, als je daar zelf ook zin in hebt.'

'Zeg het maar.'

'Als je eens een tijdje bij mij kwam wonen?'

'Het is allemaal zo moeilijk.'

'Gaat het echt om je vader?'

'Nou ja, je weet dat ik verkering heb met Simon.'

'Maar je kwam van de week met een Duitse jongen bij ons in de garage een proefrit maken?'

'Dat is een zakenvriend van mijn vader. Hij logeerde bij ons thuis.'

'Hij heet volgens mij Ernst?'

'Dat heb je goed onthouden,' antwoordt Francien.

'Hij stelde zich voor en jij noemde zijn naam een paar keer. Het is een knappe jongen om te zien.'

'Dat wel, ja.'

'Heb je wat met hem?'

'Nee, dat niet.'

'Wat ben je geheimzinnig, zeg.'

'Nou ja.'

'Zeg op, wat is er?' vraagt Rianna, die merkt dat er meer met Francien aan de hand is dan alleen haar vader. Rianna weet dat Francien niet goed met haar vader overweg kan de laatste tijd. Hij heeft haar ook een keer uit huis gezet.

'Dus jij bent verliefd op die Ernst?' probeert Rianna.

'Nee.'

'Francien, je komt niet zomaar overstuur naar mij.'

'Het is uit met Simon.'

'Die boerenzoon. Dat is toch helemaal geen type voor jou. Die Ernst past beter bij je.'

Francien schudt haar hoofd en laat haar tranen weer gaan.

'Heeft hij het uitgemaakt?'

'Ja.'

'Moet je daar nu zo overstuur van zijn? Jij kunt genoeg jongens krijgen en beter dan zo'n boerenzoon.'

Francien kijkt Rianna aan en zegt: 'Ik houd echt van hem.'

'Dat gaat vanzelf wel weer over,' zegt Rianna luchtig.

'Nee, ik ben er helemaal kapot van,' antwoordt Francien eerlijk.

'Hoe kun je nou nog houden van iemand die jou in de steek laat en het uitmaakt? Dan houdt hij toch niet genoeg van je, anders had hij er wel spijt van. Niet dan?'

'Het is mijn eigen schuld.'

'Nee toch?'

'Ik ben een paar keer met Ernst uit geweest en hij heeft ons gezien.'

'Dus hij is erg jaloers of had je echt wat met die Ernst?'

'Nee, hij logeerde gewoon bij ons.'

'Een knappe jongeman, ik kan mij best voorstellen dat je met hem ging stappen.'

'Dat was mijn bedoeling niet. Hij vroeg of ik hem wat van de stad wilde laten zien en we kregen het ook over auto's en gingen toen bij jullie garage kijken voor een proefrit.'

'Het is heel wat anders dan zo'n boerenvent.'

'Je moet niet zo over Simon praten.'

'Het is maar een boerenzoon en jij bent een dochter van een rijke zakenman. Jullie zijn een van de rijkste families hier in de omtrek. Alleen jammer dat je vader en moeder liever een Mercedes rijden. Ze willen hun stand ophouden en dan moet je een Mercedes rijden of een BMW. Terwijl de Toyota toch ook fijne zakenauto heeft en zeker de Prius.'

'Ga je even een verkooppraatje tegen mij houden,' zegt Francien, die daar geen zin in heeft.

'Ach, dat zit er bij ons ingebakken als je van kinds af aan met auto's van doen hebt en elke dag een paar auto's probeert te verkopen,' lacht Rianna vrolijk.

'Ik heb wel wat anders aan mijn hoofd dan auto's.'

'Je moet gewoon die boerenvent uit je hoofd zetten en van je leven genieten.'

'Je moet niet zo over Simon praten. Als je eens wist wat voor belangrijk werk een boer doet. Als er geen boeren waren, dan was er geen eten,' zegt Francien vol overtuiging.

'Hij heeft je al aardig gehersenspoeld,' plaagt Rianna.

'Simon is een serieuze jongen.'

'Dus je wilt hem terug?'

'Hij wil niet en denkt dat ik echt wat met Ernst heb.'

'Dat kan ik mij ook best voorstellen. Hij heeft ook wel door dat die Ernst beter in jullie familie past dan hij. Als jij dan met zo'n man door de stad rijdt, dan is het normaal dat zo'n jongen dat gaat denken.'

'Hij is nog nooit bij ons thuis geweest. Zelf ging ik bijna elke dag naar hem toe, zijn ouders zijn lieve mensen.'

'Hoe gaat het bij jullie thuis?' vraagt Rianna dan onverwachts.

'Moeilijk,' antwoordt Francien wat verlegen.

'Wat is moeilijk?'

'Je kent mijn vader.'

'Het is niet mijn vadertype. Hij is zo afstandelijk. Je zou niet zeggen dat je vader een groot zakenman is, maar thuis zijn de mannen vaak anders dan op hun werk, dat merk ik wel bij ons in de garage,' antwoordt Rianna.

'Heb jij nog geen verkering?' vraagt Francien om het gesprek een andere wending te geven.

'Af en toe een vriendje. Binden doe ik mij voorlopig nog niet of ik moet de ware Jakob tegenkomen. Het bevalt mij best zo. Lekker een eigen appartement. Weet jij wat je moet doen?'

'Zeg het maar.'

'Gewoon die Simon laten zitten en niet blijven treuren en genieten van het leven. Nu zijn we nog jong. Als je getrouwd bent en wat ouder, dan komen de zorgen pas echt.'

'Wat wil je daarmee zeggen?'

'Nou ik merk het wel bij mijn ouders. Het is altijd wat.'

'Hebben jouw ouders dan ook wel eens ruzie?'

'Wat dacht je.'

'Dat lijkt mij sterk. Je vader is een aardige man.'

'Dan ken je hem niet echt.'

'Het zal wel meevallen.'

'Wat ga je nu doen?' vraagt Rianna.

'Wist ik het maar.'

'Waarom ga je niet gewoon naar huis en zeg je thuis de waarheid en dan kom je bij mij een tijdje inwonen. Mijn appartement is groot genoeg.'

'Mijn moeder heeft het moeilijk en ik weet dat ik haar veel verdriet doe.'

'Hoezo?'

'Ze hebben vaak ruzie. Mijn vader is niet gemakkelijk, zoals je weet. Er is wat met hen. Ze hebben vaak ruzie om heel kleine dingen en dan hoor ik ook vaak mijn naam noemen. Soms voel ik mij thuis te veel.'

'Dat komt omdat je ouder wordt en je het ouderlijk nest uit moet vliegen, zeggen ze wel eens.'

'Dat is nou juist zo moeilijk voor mij. Wat mijn vader betreft kan het mij niks schelen, maar mijn moeder is de laatste tijd vaak overstuur en ik zie haar vaak met rood behuilde ogen.'

'Arme mensen,' zegt Rianna welgemeend.

'Gisteren ben ik het huis uit gegaan en ben ik naar een café geweest. Ik heb daar te veel gedronken.'

'Jij te veel drinken,' lacht Rianna die Francien goed kent.

'Toen ben ik naar het kantoor van mijn vader gegaan en moet daar gekke dingen hebben gezegd. Mijn vader was aan het vergaderen met wat zakenmensen.'

'Dat had ik graag meegemaakt, zeg. Ik zie je vader al zitten met die zakenmensen en jou daar zat binnenkomen. Je vader de grote zakenman en zijn dochter dronken,' lacht Rianna.

'Lach jij er maar om, ik was zo ziek. Ernst heeft mij naar huis gebracht. Vanmorgen vroeg toen ik mij weer wat beter voelde ben ik het huis uit gevlucht.'

'Was je bang voor je vader?'

'Nee, die is naar Duitsland met Ernst. Ze hebben daar een groot project.'

'Dus je moeder is alleen en vindt een leeg bed als ze in je kamer komt?'

'Ja.'

'Heb je geen briefje achtergelaten?'

'Nee, ik wilde weg, maar weet niet hoe het verder moet.'

'Bel dan eerst je moeder, dat mens is ongerust en zeker nu je vader ook naar Duitsland is vertrokken. Dat verdient je moeder niet.'

'Ik wil een eigen bestaan opbouwen, maar soms ben ik bang voor mijzelf.'

'Hoe bedoel je dat?'

'Kan ik wel voor mijzelf zorgen?'

'Dat kan iedereen, zeker jij. En als je het voorlopig nog niet ziet zitten, kom dan een tijdje bij mij wonen. Je weet dat ik je overal mee wil helpen.'

'Hoe moet ik dat aan mijn ouders uitleggen?'

'Je vader zal daar geen moeite mee hebben. Ga eerst eens met je moeder praten.'

'Dan gaat het weer mis.'

'Met je moeder krijg jij geen ruzie, dat weet jij heel goed, Francien.'

'Dat bedoel ik niet, ze zal mij niet begrijpen.'

'Daarom moet je erover gaan praten en ook eerlijk zijn. Gewoon vragen wat er is met je moeder. Je weet toch dat ze vaak ruzie hebben en vaak jouw naam daar bij gebruiken?'

'Soms voel ik mij één te veel.'

'Het komt natuurlijk ook omdat je enig kind bent. Bij ons thuis is dat heel anders. Je kent mijn broer en zus wel.'

'Bij jullie thuis is het gezellig en wordt er veel gelachen. Bij ons thuis valt er niks te lachen en vooral niet als ik de rood behuilde ogen van mijn moeder zie.'

'Ga met je moeder praten en probeer haar ook te begrijpen nu ze er alleen voor staat.'

'Dat is het juist, alles zit mij tegen. Ik was gelukkig met Simon en ging er bijna elke dag heen. Nu heb ik niemand meer,' snikt Francien.

Rianna legt haar hand op haar arm en zegt: 'Je bent toch naar mij toe gekomen. Je hebt toch een vriendin.'

'Jij kunt mij ook niet helpen.'

'Ik heb je aangeboden om voorlopig bij mij te komen wonen tot je wat bent opgeknapt.'

'Maar hoe moet het nu met mijn moeder, ze gaat mij zoeken.'

'Bel haar dan.'

'Nee, ze zal dan hierheen komen.'

'Dat geeft toch niet? Je bent gewoon wat overstuur, toch lijkt het mij verstandig eerst eens met je moeder te gaan praten.'

'Wil jij dan met mij meegaan?' vraagt Francien wat nerveus.

'Oké, als jou dat beter lijkt.'

Even later rijden ze naar het ouderlijk huis van Francien.

Als Francien haar auto op de inrit parkeert, gaat de voordeur al open en staat haar moeder in de deuropening. Als Francien naar haar toe loopt omhelst Ria haar dochter.

Zonder woorden, met betraande ogen, gaan ze naar binnen.

'Doen jullie eerst je jas uit.'

Ze hangen hun jassen in de hal en gaan de kamer in.

'Kind, waar zat je, waarom ben je zo vroeg weggegaan zonder wat te zeggen?'

Francien haalt haar schouders op.

'Willen jullie koffie?'

'Ja graag, dat praat wat makkelijker,' antwoordt Rianna.

Als ze aan de koffie zitten, vraagt Ria aan haar dochter: 'Vind je het erg wat Simon betreft?'

'Ja, het is niet eerlijk van hem,' antwoordt Francien, die tegen haar emoties vecht.

'Hij heeft je gezien met Ernst en je hebt Simon een paar keer afgebeld.'

'Daar heb ik met hem over gesproken, maar hij wil mij niet geloven.'

'Dus je hebt niks met Ernst?' vraagt haar moeder.

'Nee, echt niet, ma.'

'Hij wel met jou?'

'Nou ja, hij heeft mij gevraagd.'

'Echt waar?' vraagt Ria verbaasd.

'Ja, maar ik wil niks met hem te maken hebben.'

'Het is een aardige jongen,' zegt Ria voorzichtig.

'Ma, waarom praat u nu zo? U weet dat ik van Simon houd.'

'Maar hij niet meer van jou.'

'Hoe weet u dat?'

'Ik ben op de boerderij geweest en heb hem en zijn ouders gesproken,' vertelt Ria.

'Wat moest u daar doen?'

'Ik zocht jou en wilde met Simon praten.'

'Heeft hij gezegd dat hij niet van mij houdt?'

'Niet met zulke woorden. Het was uit tussen jullie.'

'Bent u er lang geweest?'

'Nee, ik wilde weten waar je was. Waarom ben je de laatste tijd zo?' vraagt Ria aan haar dochter.

Dan kijkt Rianna Francien aan alsof ze wil zeggen: 'Praat dan met je moeder.'

'Ma, wat is er met pa, waarom maken jullie ruzie om mij?'

'Ruzie om jou?'

'Vaak hoor ik mijn naam noemen en bent u overstuur.'

Ria kijkt Rianna aan.

'Het spijt mij mevrouw, Francien wilde dat ik met haar meeging om met u te praten, maar als u liever hebt dat ik wegga?'

'Nou ja.'

'Zeg het mij, ma, wat is er dat ik niet weten mag?'

'Dat kan ik niet vertellen, het heeft met mij en je vader te maken, het is … nee ik kan er niet over praten.'

'Dan kan ik beter weer gaan.'

'Waar wil je heen?'

'Voorlopig trek ik bij Rianna in.'

'Maar dat hoeft toch niet?'

'Als jullie voor mij geheimen hebben, dan wil ik niet dat jullie last van mij hebben.'

'Maar kind, ik ben nu zo alleen nu je vader voorlopig in Duitsland is.'

'U kunt hem toch bellen?'

'Dat heeft hij liever niet.'

'Is dat niet vreemd, ma?'

Dan laat Ria haar hoofd zakken en zegt: 'Francien, het is niet goed tussen je vader en mij. Meer wil ik er voorlopig niet over zeggen, zelf heb ik alles nog niet verwerkt.'

'Heeft hij een andere vrouw?'

Ria staat op en gaat de kamer uit. Ze horen haar de trap opgaan.

'Zou mijn vader echt ...?'

'Dat weet ik niet, Francien, maar je kunt haar nu beter met rust laten. Ze heeft het moeilijk en ouders praten daar niet zo makkelijk met hun kinderen over.'

'Moet ik haar hier dan alleen laten?'

'Je zult zelf een beslissing moeten nemen.'

'Wacht jij op mij, dan ga ik boven even met haar praten.'

'Oké.'

Als Francien de slaapkamer van haar ouders binnenstapt, ligt haar moeder met de rug naar de deur. Francien gaat op de rand van haar bed zitten en legt haar hand op haar schouder. Ria draait zich om. Francien kijkt in een paar rood behuilde ogen en er liggen tranen op Ria's wangen. Francien omhelst haar moeder en zegt met een zachte stem: 'Ma, ma, ik laat u nooit alleen meer, al laat pa u zitten.'

'Het is goed, lieverd, laat mij voorlopig maar met rust.'

'Goed ma, ik breng Rianna even naar huis met mijn auto. We zijn met mijn auto hierheen gekomen.'

'Het is goed, kind, kom alsjeblieft weer naar huis, ik heb jou alleen nog.'

'En ik u, ma, we hebben elkaar nu nodig.'

'Ja, het is goed.'

'Nu ga ik.'

'Het is goed.'

Francien rent de trap af en zegt: 'Ik zal je naar huis brengen.'

'Dus je blijft toch bij je moeder?'

'We kunnen elkaar nu niet missen. Ze is erg overstuur. Wat er precies is gebeurd met mijn ouders, daar ben ik nog niet achter. Ze kan er niet over praten,' legt Francien uit.

'Dat komt vanzelf wel,' antwoordt Rianna.

Francien rijdt Rianna terug naar haar appartement en gaat weer naar huis.

11

Vincent en Ernst komen aan in een dorpje in Duitsland. Ernst zit achter het stuur. Ze rijden om het kleine kasteeltje waar Ernst met zijn moeder woont. Ernst knipt op een afstandsbediening en de deur van de garage gaat open. Ze stappen uit de auto. Binnen in de garage gaat een zijdeur open en verschijnt er een vrouw van middelbare leeftijd.

'Dag ma, we zijn er weer.' De vrouw omhelst haar zoon en zoent ook Vincent. Ze vraagt of ze een goede reis gehad hebben.

'Over de grens ging het prima, alleen in Nederland schiet je niet erg op.'

'Nederland wordt te klein,' lacht Gerda, de moeder van Ernst.

'Dan moeten er meer Nederlanders in Duitsland gaan wonen. Er is hier nog plaats genoeg,' zegt ze terwijl ze Vincent aankijkt.

Ze gaan naar binnen. Ze komen eerst in een grote marmeren hal, hangen hun jassen op en gaan de grote woonkamer in.

'De koffie heb ik zo klaar. Maak het jullie maar gemakkelijk.'

'Dat zullen we zeker doen. Je wordt stijf na zo'n rit,' zegt Vincent.

'De oude botten en spieren beginnen dus bij jou ook moeilijk te doen,' glimlacht Gerda.

Ze komt met een dienblad met drie kopjes koffie terug en zet het op de salontafel. Ze krijgen er een gevulde koek bij.

'Daar was ik echt aan toe,' zegt Vincent terwijl hij een slok koffie neemt.

'Zijn jullie onderweg niet bij een wegrestaurant geweest om koffie te drinken?' vraagt Gerda.

'Ach, nee, ik rijd liever door,' antwoordt Ernst.

'Maar je moet wel rekening houden met die oude man die je uit Nederland hebt meegebracht,' plaagt Gerda.

'Ernst heeft gelijk. Je kunt beter gewoon doorrijden en in zo'n auto als die van mij merk je niks als je honderdvijftig kilometer per uur rijdt,' antwoordt Vincent.

'En je had last van je spieren?'

'Dat gaat wel weer.'

'Zijn de zaken in Nederland goed gegaan?' vraagt Gerda.

'Bij mij wel, nu nog hier bij jullie,' antwoordt Vincent.

'Wij hier in Duitsland doen niet moeilijk om een stukje grond.'

'Dus ze willen verkopen?' vraagt Vincent.

'Alleen aan een Duitse ondernemer,' antwoordt Gerda.

'Ernst en ik en nog wat andere ondernemers hebben een plan opgesteld bij mij op kantoor,' legt Vincent uit.

'En dat is?'

Vincent staat op, haalt zijn koffertje uit de hal en opent dat op de salontafel.

'Hier heb ik wat contracten voor onze firma en die van jullie. Als jullie het samen eens zijn, dan moet het lukken,' zegt Vincent.

Gerda leest wat stukken door en antwoordt: 'Het is een goed plan, toch zitten er nog een paar haken en ogen aan.'

'Je bedoelt financieel wat betreft het aankopen van de grond voor de appartementen?'

'Juist, daar heb ik een beter plan voor bedacht dan jij, Vincent,' zegt Gerda terwijl ze Vincent ernstig aankijkt.

'Vertel?'

'Als wij eens samen gingen werken, ik bedoel, als we eens een fusie samen aangingen,' probeert Gerda voorzichtig.

'Meent u dat echt, ma?' vraagt Ernst verbaasd.

'Waarom niet? Dan staan we stevig tegenover onze concurrenten hier in Duitsland en gelijk ook in Nederland. Een projectontwikkelaarsbedrijf oprichten. Dan zijn we samen kapitaalkrachtig om samen grote projecten op te kopen en weer door te verkopen,' legt Gerda zakelijk uit.

'Ik had niet verwacht dat u zo ver zou gaan, ma,' zegt Ernst verbaasd.

'Hier kan ik als zakenman niet tegenop,' lacht Vincent.

'Wat wil je daarmee zeggen?' vraagt Gerda.

'Dat vrouwen vaak slimmer zijn dan mannen,' antwoordt Vincent.

'Ik heb er met mijn adviseurs over gesproken en die vinden het zo gek nog niet, tenminste als jij mee wilt werken.'

'Een fusie is heel wat, dat betekent dat onze bedrijven in elkaar overgaan.'

'Dat heb je goed begrepen.'

'Ben jij het daar ook mee eens, Ernst?' vraagt Vincent.

'Het is niet gek om samen te werken en er één bedrijf van te maken,' antwoordt Ernst.

'Je zit met je vrouw, heb ik het goed, Vincent?'

'Nou ja.'

'Hoe gaat het met Ria?'

'Ach, je weet dat het tussen ons niet meer zo klikt.'

'Dus je wilt meer dan alleen een zakelijke fusie,' vraagt Gerda terwijl ze Vincent verliefd aankijkt.

'Wat wil je daarmee zeggen?' vraagt Vincent wat verlegen.

'Vincent, we kennen elkaar al jaren en je komt al zo veel bij mij sinds mijn man twee jaar geleden is overleden.'

Ernst staat op en zegt: 'Met deze zaak bemoei ik mij liever niet, met twee van die tortelduifjes, ik houd onze firma wel in de gaten.'

Ze lachen alle twee tegen Ernst als hij de kamer uit gaat en de grote brede trap naar boven oploopt.

Vincent, die op een van de banken zit, kijkt Gerda moeilijk aan. Gerda staat op. Ze is een slanke vrouw en ziet er voor haar leeftijd nog jong uit. Ze gaat naast Vincent op de bank zitten, pakt zijn hand en vraagt: 'Vincent, hoe wil je verdergaan met mij en je vrouw en je dochter niet te vergeten?'

'Gerda, ik voel mij soms een bedrieger.'

'Dat ben je ook, een kleine lieve bedrieger en daar houd ik van, lieve jongen,' fluister Gerda terwijl ze hem zoent.

Vincent neemt haar in zijn armen en vraagt: 'Heb je mij gemist?'

'Ja.'

Dan gaat Vincent recht zitten en vraagt: 'Hoe kwam je op dat idee van die fusie?'

'Die fusie?'

'Ja?'

'Als jij het echt meent, dan is het zo gek nog niet.'

'Je bedoelt met ons?'

'Ja.'

'Dus een dubbele fusie?'

'Waarom niet, als jij het echt meent wat ons betreft.'

'Het is moeilijker dan ik dacht,' geeft Vincent eerlijk toe.

'Wat voorzie jij dan voor moeilijkheden?'

'Ria zal nooit willen scheiden.'

'Heb je het haar gevraagd, Vincent?'

'Nee.'

'Waarom niet?'

'Ik kan het gewoon niet, ik heb ook nog een dochter.'

'Die niet eens je eigen dochter is. Ze heeft je toen je met haar trouwde behoorlijk te pakken genomen.'

'Nee, dat is niet waar, ik wist dat ze in verwachting was van haar stiefvader.'

'Waarom heb je mij dat niet eerlijk verteld?'

'Dat heb ik toch.'

'Nee Vincent, je vertelde dat ze met een jongen moest

trouwen terwijl jullie verkering hadden. Jij was verliefd op haar, je wilde geen schandaal en bent met haar getrouwd.'

'Dat is dus niet zo. Wij hadden al een tijd verkering en toen zij mij vertelde dat haar stiefvader haar misbruikte en zij van hem in verwachting was, ben ik met haar getrouwd.'

'Hield je zoveel van haar, Vincent?'

'Anders was ik niet met haar getrouwd.'

'Waarom gaat het nu dan mis met je huwelijk?'

'We krijgen steeds ruzie om onze dochter, die mijn dochter niet is. De eerste jaren toen ze nog jong was had ik er niet zoveel moeite mee. Nu ze een jonge vrouw wordt is alles moeilijker en kan ik haar niet meer als mijn dochter aanvaarden,' legt Vincent uit.

'Toch vreemd dat je gaat trouwen met een meisje dat zwanger is van een ander. Volgens mij zat ze achter jouw geld aan en dat mooie landhuis van jou.'

'Nee, dat is niet waar, we hadden verkering en dus een eerlijke verhouding.'

'Geen seksueel contact, kan je dochter niet je eigen kind zijn?'

'Nee.'

'Hoe kun je dat zo zeker weten?'

'Ze was bang als ik op dat gebied haar aanraakte. Toen ze mij alles verteld had over haar stiefvader wilde zij het ook uitmaken.'

'Ben je toen voor haar voeten gaan liggen en hebt haar gesmeekt?'

'Nee, ik heb er een paar weken over nagedacht en wilde dat het geheim bleef. Ze had verkering met mij. Dus iedereen die ons kende dacht dat het van mij was. Die stiefvader wilde het niet toegeven. Ik hield zo veel van haar.'

'Hoe kon je zo ver gaan, een meisje dat zwanger is van een andere man terwijl je verkering had met haar.'

'Toch had ik medelijden met haar. Ze had thuis een rotleven met die stiefvader. Ze werd gedwongen en moest zwijgen.'

'Dus haar stiefvader ging met haar naar bed terwijl jij verkering met haar had?'

'Dat is zo, ja, hij deed het al toen ze nog een kind was.'

'Hoe kon je met haar trouwen?'

'Dat was best moeilijk voor ons alle twee. Ik had medelijden met haar en vergeet niet dat ik van haar hield. Toen vertelde zij mij over haar stiefvader, ook haar moeder had het moeilijk met die man.'

'Wat was er met haar moeder?'

'Die was bang voor haar tweede man en durfde niks te doen.'

'Wat moet dat een vreselijke kerel geweest zijn, maar dat dat een reden moest zijn dat jij met haar trouwde?'

'Zij wilde het niet, ik wilde het zelf. Het was voor ons beiden een moeilijk huwelijk.'

'Hoezo?'

'In het begin, toen het kind geboren werd, moesten we voor de buitenwereld doen alsof het ook van mij was.'

'Dat zal een leuk huwelijk geweest zijn.'

'Toch wel. Wij hielden van elkaar. Toen Francien geboren was, leefden wij met een leugen. Ria wilde geen kinderen meer. Ze had het moeilijk in het begin wat betreft het lichamelijk contact.'

'Hoe hield jij dat vol?'

'Door liefde.'

'Dat is toch niet normaal. Kon ze dat kind dan niet weg laten halen?'

'Nee, dat wilden wij alle twee niet.'

'Waarom niet?'

'Omdat wij in God geloven en dat niet mag,' antwoordt Vincent met een zachte stem.

'Dus jij gelooft ook in God?'

'Vaak heb ik er strijd mee, en vooral als ik bij jou ben en mijn vrouw bedrieg.'

'Maar Vincent, je hebt nog een heel leven voor je.'

'Toch is het niet goed,' antwoordt Vincent emotioneel.

'Je bedoelt ons?'

'Ja.'

'Hoe wil je dan verder?'

'Wist ik het maar.'

'Houd je van mij, Vincent?'

'Maar het is niet eerlijk.'

'Wil je dan zo verdergaan met Ria?'

'Dat kan ik ook niet.'

'Je zult toch zelf een keuze moeten maken.'

'Dat heb ik al gedaan.'

'En dat is?'

Vincent kijkt Gerda aan en fluistert: 'Ik wil niet meer zonder jou, Gerda. Hij zoent haar en zegt: 'Hoe moet het verder?'

'Je moet flink zijn en er eerlijk met je vrouw over praten.'

'Weet Ernst dat Francien mijn dochter niet is?'

'Dat mocht ik hem toch niet vertellen?'

'Oké, ik was bang dat hij het Francien zou vertellen, ze gingen samen wel eens uit.'

'Hij weet natuurlijk wel dat wij een verhouding met elkaar hebben en daar mocht hij van mij ook niet over praten zolang jij het je vrouw niet hebt verteld,' zegt Gerda.

'Wanneer ga je terug naar Nederland?'

'Waarom vraag je dat?'

'Vincent, je moet de knoop doorhakken als jij het met mij meent.'

'Het is zo moeilijk.'

'Dus je houdt nog van Ria?'

'Vind je het vreemd?'

'Dus je gebruikt mij als je liefje in Duitsland?'

'Zo bedoel ik het niet.'

'Hoe zit het met jouw zaak als je een opvolger wilt?'

'Dan verkoop ik alles.'

'En je dochter dan?'

'Die heeft daar geen recht op.'

'Hoe denkt zij daar zelf over nu ze nog niet weet dat je haar vader niet bent?'

'Ze heeft verkering met een boerenzoon.'

'Echt?'

'Ja, hij heeft haar eens gered bij een steekpartij in de stad.'

'Flinke jongen.'

'Hij kwam zelf in het ziekenhuis terecht en daar leerden ze elkaar beter kennen,' legt Vincent uit.

'Dus je dochter is geen erfgenaam?'

'Nee,' antwoordt Vincent kort.

'En je vrouw?'

'Dat wordt moeilijk.'

'Niet als wij slim zijn,' zegt Gerda met halfdicht geknepen ogen.

'Zij heeft altijd recht als ik ga scheiden.'

'Niet als ik jullie zaak overneem, ik bedoel een fusie, voor je gaat scheiden en wij samen verdergaan.'

'Dat wil ik niet.'

'Je wilt toch een fusie aangaan met ons? Dan maken wij er één bedrijf van op één naam,' legt Gerda als slimme zakenvrouw uit.

'Dat zou kunnen en dan kan mijn kantoor in Nederland gewoon doorgaan. Hoe wil je dat met mijn vrouw regelen?'

'Uitkopen voor de fusie.'

'Heb je daar al die tijd over nagedacht voor je met die fusie kwam?' vraagt Vincent.

'Nou ja, het lijkt mij verstandig wat onze verhouding betreft. Vind je zelf ook niet?'

'Het wordt steeds moeilijker tussen Ria en mij en zeker

als ik vertel aan Francien dat zij mijn biologische dochter niet is.'

'Hoe denkt je vrouw daarover?'

'Ze wil niet dat Francien het weet, ze wil dat ze mijn dochter blijft.'

'Dus ze wil het meenemen het graf in? Francien heeft toch ook recht op de waarheid.'

'Dat vind ik ook, daar hebben we al jaren ruzie over en zeker nu ze gek is op die boerenzoon.'

'Vertel het dan gewoon aan haar.'

'Volgens mij heeft ze al wat in de gaten, maar weet ze niet waar het over gaat als wij ruzie hebben om haar.'

'Toch zul je het haar moeten vertellen, dat kind heeft er gewoon recht op.'

'Ernst vindt haar ook aardig, heb ik in de gaten, hij is een paar keer met haar uit eten gegaan.'

'Dat zou zo gek nog niet zijn,' zegt Gerda.

'Nee, jammer dat ze gek is van die boerenzoon. Als je eens wist wat er bij ons op kantoor is gebeurd toen die boerenzoon het uitmaakte.'

'Heeft hij het uitgemaakt?'

'Hij zag haar een paar keer met Ernst in de auto en dat pikte hij niet.'

'Dus het is nog steeds uit?'

'Dat wel, maar ze is er overstuur van, ging zich bedrinken en kwam dronken bij ons op kantoor waar wij in vergadering waren met zakenrelaties. Ernst heeft haar naar huis gebracht.'

'Het is een toestand daar bij jullie. Vincent, jij moet nodig een paar weken hier bij mij blijven en genieten van ons mooie Duitsland.'

'Er moeten ook nog zaken gedaan worden, Gerda.'

'Dan zul je eerst thuis alles op de rails moeten zetten. Het lijkt mij verstandiger dat je een tijdje bij ons blijft om alles eens goed door te nemen,' zegt Gerda, terwijl zij zijn hand pakt en zegt: 'We gaan samen ergens lekker eten. Het is tijd om je wat te ontspannen, Vincent.'

'Oké, zoals je wilt.'

Ze stappen in de auto van Vincent en rijden naar het prachtige gebergte. Daar stoppen ze bij een restaurant en gaan op het terras zitten. Het restaurant is boven op het gebergte gebouwd. Ze hebben een prachtig uitzicht over de Moezel.

'Wat is het hier mooi,' zucht Vincent.

'Dat is heel wat anders dan dat platte land van jullie.'

'Hier zou ik wel willen wonen. Het is hier prachtig.'

'Wat belet je?'

Hij kijkt Gerda aan en vraagt: 'Denk jij dat ik hier in Duitsland zou kunnen wennen?'

'Dat weet ik wel zeker.'

'Hoe kun jij dat nou weten?'

'Je vraagt het mij toch.'

'Hier vergeet je al je zorgen.'

'Komt dat door mij of het uitzicht?' lacht Gerda.

'Alle twee,' antwoordt Vincent eerlijk.

'Waarom ga je dan weer terug en val je weer in dezelfde zorgen. Een vrouw die je niet echt lief kunt hebben en een dochter die je dochter niet is en verliefd is op een boeren-zoon?'

'Je maakt het mij wel moeilijk, Gerda.'

'Dat kun je begrijpen.'

'Wat wil je daarmee zeggen?'

'Vincent, wij gaan al een tijdje met elkaar om en houden van elkaar, mag dat niet? Mogen wij niet gelukkig zijn? Ik heb een goed leven achter mij liggen met mijn man. Nu heb ik jou ontmoet en ik verlang erg naar je en jij hebt ook recht op een beter leven. Je hebt een leven achter de rug dat niet veel mannen je na zouden doen.'

'Wat wil je daarmee zeggen?'

'Trouwen met een vrouw met een kind van een ander. Nu zie je na al die jaren dat zo'n huwelijk niet standhoudt. Je vrouw is in haar jeugd al geestelijk en lichamelijk beschadigd en jij had medelijden met haar en nu komen de problemen. Vincent, kies voor het leven, jongen.'

'Jij hebt makkelijk praten, jouw man leeft niet meer en je hebt alle recht om opnieuw te beginnen. Voor mij ligt dat anders, Gerda.'

'Als ik jou daar nou eens bij wil helpen, Vincent,' antwoordt Gerda terwijl ze hem een zoen geeft.

12

Ernst ligt op zijn bed in de grote slaapkamer van het ouderlijk huis. Hij heeft zijn armen gekruist onder zijn hoofd op het kussen. Waar is zijn moeder nu toch weer mee bezig, piekert hij. Ze is een gewiekste zakenvrouw, daar is niks mis mee, maar ze kan over lijken gaan en daar wil hij niet aan meewerken. Ze heeft Vincent, die toch geen kleine jongen in het zakenleven is, helemaal ingepalmd. Hij zit in het web van de liefde van zijn moeder. Zijn vader is twee jaar geleden overleden aan een ernstige ziekte. Hij kon al jaren zijn werk niet meer doen. Zijn moeder kon beter zakendoen dan zijn vader, die durfde geen grote projecten aan te nemen. Zijn moeder was slim, kocht veel grond en huizen op waar ze via mensen vanuit de gemeentebesturen achter kwam dat er in de toekomst nieuwbouw zou komen. Zij kon dan verkopen voor grote projecten waar ze ook Vincent Milder bij nodig heeft. Nu weer een groot project in de bergen langs de Moezel en de bossen. Het zal een prachtig project worden en er zal veel geld voor worden betaald. Er komen meer dan honderd appartementen en een groot hotel-restaurant. Ze heeft haar slag geslagen door die grond op tijd te kopen en zo het project in handen te hebben. Ze wil nu samen met de man waar ze van houdt gaan samenwerken aan dit project. Ze had de plannen al klaarliggen, maar dat ze ook een fusie wil aangaan met haar vriend Vincent Milder en zo samen een groot projectontwikkelaarsbureau opzetten, dat dan over de hele wereld projecten kan uitvoeren, dat gaat hem te ver. Wat dat betreft lijkt hij meer op zijn vader die liever werkte met kleine projecten. Voor zijn moeder moet alles zo veel mogelijk in het groot. Het is nooit genoeg. Vroeger kon zijn vader haar nog wel eens afremmen, maar nu is er niemand die dat kan. Hijzelf is daar te slap voor. Ze zal hem wijzen op zijn verantwoordelijkheid als projectontwikkelaar en als erfgenaam moet hij nog veel leren.

Hij is in Nederland geweest bij een van de grootste projectontwikkelaars. Zijn moeder is bevriend met Vincent Milder. Ze hebben een geheime relatie. Hij weet daarvan, maar mocht er niet over praten in Nederland. Het privéleven moest van het zakenleven gescheiden blijven. Hij deed wat zijn moeder van hem verlangde. Zij is de grote zakenvrouw en weet wat zakendoen is. Het was al heel wat dat hij alleen naar Nederland mocht naar de firma Milder en de vriend van zijn moeder. Het is allemaal wat doorzichtig waar zijn moeder het om gaat. Hij mocht zakendoen met Vincent Milder, maar ze had thuis al de zaken geregeld toen ze uit Nederland kwamen. Ze had een fusie bedacht. Er is op zichzelf niks mis mee. De firma wordt er groot en sterk door als ze samenwerken met Vincent Milder, maar wat betreft het privéleven van zijn moeder, daar heeft hij moeite mee. Vooral nu hij de vrouw van Vincent Milder heeft ontmoet en zijn dochter Francien. Hoe moet hij verder? Hij kan niet zomaar tegen zijn moeder zeggen: 'Ma, je gaat te ver. Vincent heeft een lieve vrouw. Je mag dat huwelijk niet kapotmaken en hij heeft een lieve dochter.' Nee, ze zal hem uitlachen en hem een slappeling vinden. Hij moet iets verzinnen om er niet aan mee te werken. Zal hij met Vincent Milder zelf gaan praten? Nee, die is verliefd op zijn moeder, dat is het probleem. Twee mensen die van elkaar houden. Zijn moeder doet niks verkeerds. Zij is weduwe, maar ze weet heel goed dat ze een huwelijk kapotmaakt. Vincent is te slap om zijn verstand te gebruiken en niet op haar liefde in te gaan. Hij is al gevallen voor haar! Zou hij dan niet genoeg van zijn vrouw houden? Ria is toch een lieve, aardige vrouw. Waarom laat hij haar zitten en valt hij op Ernsts moeder? Zou het zijn omdat zij meer zakenvrouw is? Met zijn dochter kan hij niet erg opschieten.

Francien heeft een vriend, jammer. Hij was gelijk ... nou ja, hij kon van haar houden. Hij heeft veel meisjes gehad in Duitsland. Maar Francien, zij is echt zo anders, die prachtige ogen die je zo onschuldig aankijken, en haar stem. In een paar dagen wist hij dat hij dit meisje lief kon hebben. Wat dat betreft gaat hij zijn moeder achterna. Francien heeft immers verkering met die Simon. Door zijn schuld maakte die jongen het uit. Hij had hen samen gezien en maakte het uit. Ze was helemaal overstuur en ging zich bedrinken en kwam dronken op het kantoor bij haar vader. Het was zijn schuld. Zou die verkering nog uit zijn? Als hij nu eens ... Nee, zijn moeder zal argwaan krijgen. Als hij nu eens meeging met het toernooi van zijn tennisclub naar Engeland? Hij is er immers voor gevraagd? Hij is een van de betere tennissers van zijn club, maar hij heeft afgezegd in verband met het grote project langs de Moezel. Toch is dit de kans om nu weg te komen.

Ernst staat op. Hij loopt naar de badkamer en neemt een douche. Hij kleedt zich aan en zoekt zijn sportkleren bij elkaar, de tas met zijn racket. Hij pakt zijn mobieltje, toetst het nummer van zijn trainer in en vertelt dat hij plannen heeft om mee te gaan, dat hij eerst nog een week naar Nederland gaat maar belooft dat hij op tijd in Engeland zal zijn volgende week. Zo heeft hij een mooi smoesje bedacht om toch weg te komen. Hoe zullen zijn moeder en Vincent erop reageren? Ze zullen hem toch niet doorhebben? Nee, Vincent Milder niet, maar zijn moeder is erg slim. Wacht, hij belt zijn trainer terug en vraagt of hij niks wil zeggen dat hij een week naar Nederland gaat als zijn moeder erover belt. Ernst belt en zijn trainer belooft mee te werken. Die is blij dat hij toch met het toernooi meedoet volgende week in Engeland.

Ernst gaat de brede trap af met zijn sporttas. Hij treft zijn moeder en Vincent aan de ontbijttafel aan. Zijn moeder kijkt verbaasd en vraagt: 'Ga je al zo vroeg trainen?'

'Nee, ma.'

'Waarom heb je dan je sportkleren en die tas bij je?'

'We hebben in Engeland een toernooi, zoals u weet.'

'Dat heb je toch afgezegd in verband met onze zaken?'

'Toch ga ik, het is een belangrijk toernooi.'

'Dus het is belangrijker dan onze zaken?'

'Voor mij wel, ma.'

'Luister jij eens goed, jongen.'

'Ik luister, ma.'

'Vincent is nu bij ons. We hebben heel wat zaken te regelen.'

'Ma, mag ik even ontbijten?' vraagt Ernst alsof hij het niet heeft gehoord. Hij gaat aan de grote keukentafel zitten, haalt een broodje uit het mandje en doet er boter en beleg op.

'Je gaat niet, Ernst. Het kan echt niet.'

'Toch wel, ma. Ik heb ook mijn ontspanning nodig en het is een belangrijk toernooi.'

'Waar heb jij je verstand zitten, je bent achtentwintig en moet in de toekomst de zaak overnemen, wat zal Vincent wel niet van je denken?'

'Toch ga ik, ma. Jullie stellen de zaak maar een tijdje uit en nemen ook maar wat vakantie,' antwoordt Ernst met een glimlach op zijn gezicht.

'Vincent, zeg jij er wat van.'

'Nou ja, waarom zo ineens, Ernst?' vraagt Vincent dan.

'We zijn druk in Nederland geweest bij jou op kantoor en nu gaan jullie gelijk weer verder. Het lijkt mij verstandiger eerst de zaken nog eens goed te overdenken voor jullie een fusie aangaan,' antwoordt Ernst.

'Wat heeft dat te maken met dat tennistoernooi in Engeland?'

'Ik wil er gewoon een tijdje tussenuit en wat ontspannen.'

'Luister, Ernst,' zegt Gerda dan.

'Ik luister,' zegt Ernst met een knipoog naar Vincent.

'Als jij ertussenuit gaat, dan hebben wij een probleem.'

'Jullie problemen zijn niet de mijne.'

'Hoe durf je dat te zeggen?'

'Ma, nu moet u ook eens naar mij luisteren.'

'Oké.'

'Jullie gaan te overhaast te werk.'

'Wat is daar mis mee?'

'Hoe kunt u een fusie aangaan als Vincent zijn vrouw en zijn dochter er niet bij zijn. Dat is toch niet normaal?'

'Dat maakt Vincent zelf uit. Hij beslist of hij een fusie met ons bedrijf aangaat.'

'Daar beslist u ook over, ik doe hier niet aan mee. Het gaat allemaal te overhaast.'

'En dat durf jij te zeggen?'

'Ja, ma.'

'Waarom ben je zo tegen ons?'

'Toen ik in Nederland zakendeed met Vincent heeft u hier alleen alles uit zitten denken en plannen gemaakt,' zegt Ernst.

'Wat bedoel je met plannen?'

'Die fusie met het bedrijf van Vincent.'

'Vincent wil dit ook graag.'

'Wat wil je dan, Ernst?' vraagt Vincent.

'Uitstel, jullie lopen te hard van stapel.'

'Oké, we wachten met die fusie, maar gaan wel door met het project aan de Moezel.'

'Daar kunnen jullie mij bij missen,' antwoordt Ernst.

'Nee Ernst, ik wil dat je hier aan meewerkt. Er komt te veel geld bij kijken.'

'Daar bent u slim genoeg voor en bij ons op kantoor zitten ook een paar slimme mensen, dacht ik zo.'

'Dus ik kan het weer alleen opknappen?'

'Dat moet u zelf weten.'

'Hoe krijg je het ineens in je kop om te gaan tennissen?'

'Ontspanning, ma, dat heeft een mens op zijn tijd nodig.'

'Ernst, ik verbied het je!' zegt Gerda dan streng.

'Nee ma, die tijd hebben we gehad,' lacht Ernst.

'Als jij zo met ons en ons bedrijf omgaat en tennissen belangrijker vindt, terwijl er belangrijke zaken gedaan moeten worden, dan word je nooit een volwaardige zakenpartner!' zegt Gerda fel.

'Zoals u wilt. U regelt toch alles zelf. U gaat uw gang maar.'

'Jij weet niet waar je mee bezig bent,' zegt Gerda kort.

'Rustig, met ruzie lossen we niks op,' zegt Vincent dan.

'Wat ruzie? Hij begrijpt niet waar het om gaat. Zo'n groot project aan zijn moeder overlaten. Er staan honderden projectmensen te loeren en te wachten op zo'n kans en dan gaat mijn zoon tennissen!' schreeuwt Gerda hem toe.

'Jullie moeten dit rustig bespreken en elkaar de ruimte geven,' zegt Vincent, die een wijs zakenman is.

Ernst staat op en loopt naar de hal. Gerda loopt haar zoon achterna. Ze pakt hem bij zijn arm en zegt: 'Je laat mij nu toch niet in de steek?'

'Ma, u denkt alles naar uw hand te kunnen zetten en dat lukt u nu niet.'

'Vincent wil nog met je praten, kom nog even rustig in de kamer terug en drink wat met ons,' begint Gerda nu op een wat rustiger manier.

'Oké.'

Ernst gaat in de grote salonkamer zitten en kijkt Vincent aan.

'Is dat toernooi nou zo belangrijk voor jou?'

'Ja, hoezo?'

'Omdat je het eerst afgezegd hebt en nu toch meegaat met je club.'

'Dat heb ik al uitgelegd, ik wil er voorlopig een tijdje tussenuit.'

'Dan heb ik een nog beter plan,' zegt Vincent voorzichtig terwijl hij Gerda aankijkt.

'En dat is?'

'Als we een vakantie regelen met z'n drieën op zo'n boot over de Moezel. Dan dicht bij de plaats aanleggen waar ongeveer het project komt en daar in een hotel gaan in dat dorpje?'

Ernst voelt dat Vincent hem toch mee wil hebben.

'Het gaat mij niet om dat project.'

'Waar gaat het jou dan om?'

'Gewoon ertussenuit met mijn tennisvrienden,' antwoordt Ernst.

'Het is tegenwoordig sport en nog eens sport,' zegt Gerda nu kwaad.

'En bij jullie is het zaken en nog eens zaken doen,' antwoordt Ernst gevat.

'Daar zit wel een groot verschil in,' zegt Vincent.

'Zal ik met die trainer van je praten dat we je echt niet kunnen missen in verband met belangrijke zaken?' zegt Gerda voorzichtig.

'Nee, ik heb hem zelf gebeld en hij is blij dat ik meega.'

'Toch verbied ik het je!' valt Gerda dan weer kwaad uit.

'U verbiedt mij niks,' antwoordt Ernst kort.

'Oké, je gaat je gang maar, maar weet wel wat je doet. Vincent en ik gaan door met die fusie en ook met het project, als je dat maar goed begrijpt!'

'Dat is dan erg dom.'

'Waarom?'

'Dat project kan zonder mij doorgaan, daar heb ik geen moeite mee, maar zonder mij een fusie aangaan en zonder je vrouw erin te betrekken, dat is niet normaal, Vincent,' zegt Ernst dan eerlijk. Hij wil zolang hij Vincents vrouw en dochter niet heeft gesproken die fusie tegenhouden. Het zal een klap voor Ria en Francien zijn als ze later horen dat er een fusie is aangegaan met een firma waar hun man en vader een vriendin heeft, dat moet hij in ieder geval zien te voorkomen.'

'Wat heb jij eigenlijk tegen die fusie?' vraagt zijn moeder.

'Jullie gaan nu een beslissing nemen die verstrekkende gevolgen kunnen hebben voor ons en ook voor Vincent en zijn vrouw en dochter.'

'Dat is geregeld. Vincent heeft al een goede regeling getroffen en daar zullen zijn vrouw en dochter zich wel in kunnen vinden,' antwoordt Gerda.

'Wat is dat voor regeling?' vraagt Ernst.

'Vincent koopt ze uit.'

'En jullie denken dat ze daar intrappen?'

'Ze krijgen ieder een som geld en mogen het landhuis hebben,' zegt Gerda.

'Heeft u dat zo geregeld?' vraagt Ernst terwijl hij zijn moeder recht aankijkt.

'Dat heeft Vincent zelf bedacht en dat heeft hij helemaal nog niet zo slecht gedaan.'

'Onmenselijk,' antwoordt Ernst geschrokken.

Vincent kijkt Ernst aan en vraagt: 'Wat wil je daarmee zeggen?'

'Dat ik dit van jou niet had verwacht.'

'Waarom niet?'

'Ik heb je vrouw leren kennen en ook je dochter. Het zijn eerlijke en nette mensen. Hoe kun je zoiets doen tegenover ze?'

'Jij kent de achtergronden niet, Ernst,' zegt Gerda als ze

ziet dat Vincent het moeilijk heeft na de uitspraak van Ernst.

'Jullie gaan al een tijdje in het geheim samen. Wordt het niet eens tijd dat je eerlijk met je vrouw praat?'

'Dat gaat jou niet aan,' zegt zijn moeder.

'Toch wel, ik weet dat jullie al een tijd een verhouding hebben en ik maak mij daar niet zo druk over. Vincent vond ik een geschikte man voor u, maar toen ik zijn vrouw en dochter ontmoette in Nederland kreeg ik medelijden met hen,' zegt Ernst eerlijk.

Vincent laat zijn hoofd zakken.

'Ben jij soms verliefd op zijn dochter?' vraagt Gerda dan.

'Francien heeft een vriend.'

'Een boerenzoon en volgens Vincent is het uit.'

'Ze houden nog van elkaar.'

'Waarom heeft die jongen het dan uitgemaakt?'

'Hij heeft mij samen met Francien in haar auto gezien en was kwaad op haar. Het heeft niks te betekenen,' legt Ernst uit.

'Je gaat niet zomaar met een meisje rondtoeren terwijl ze verkering heeft. Die jongen heeft groot gelijk dat hij het uitmaakte. Trouwens, hij is niet iemand van haar stand, het is een boerenzoon,' zegt Gerda wat neerbuigend.

'Wat is tegenwoordig stand?'

'Grote zakenmensen, wat moet zo'n jongen in het zaken-leven,' zegt Gerda met een gemeen lachje op haar gezicht.

'Alsof jullie beter zijn dan die mensen die hard moeten werken voor hun brood. Het zijn eerlijke mensen.'

'Wat mankeert er dan aan zakenmensen?' vraagt Gerda fel.

'Heel veel, ma.'

'Zeg op!' schreeuwt ze tegen haar zoon.

'Waarom zo'n haast om vrouw en dochter aan de kant te schuiven en ze uit de zaak te kopen, dat maak je bij fatsoenlijke mensen niet mee,' zegt Ernst eerlijk.

'Weet jij wat je moet doen?'

'Dat hoeft u mij niet meer te zeggen, ma,' zegt Ernst terwijl hij opstaat en naar de hal loopt, zijn jack aandoet en zijn sporttas van de vloer pakt.

Hij loopt de deur van de hal in en gaat binnendoor naar de garage. Hij doet zijn spullen achter in de auto en stapt achter het stuur van zijn eigen auto. Hij drukt op een knopje zodat de garagedeur opengaat en rijdt weg, nagestaard door zijn moeder en Vincent.

Ernst rijdt door het heuvelachtige gebied het dorpje uit naar de snelweg.

Als hij de grens over is, stopt hij bij een wegrestaurant en gebruikt daar een broodje met een kop koffie.

Hoe dichter hij bij het dorpje komt waar Francien met haar moeder woont, hoe nerveuzer hij wordt. Toch moet hij nu doorzetten. Doet hij dit voor Francien en haar moeder? Heeft hij medelijden met hen? Of is het de liefde? Diep in zijn hart ligt het antwoord: Francien. Zij heeft in een paar dagen zijn hart op hol doen gaan. Maar Francien zal niks voor hem voelen. Zij is verliefd op Simon, die boerenjongen.

13

Francien, die dezelfde morgen vroeg wakker is en opstaat, vindt haar moeder beneden in de kamer.

'Wat bent u aan het doen?'

'Ach, niks.'

'Waarom bent u zo vroeg op en zit u al aan de wijn?'

'Ik voelde mij niet goed en kon niet slapen.'

'Maar waarom drinkt u dan al zo vroeg wijn?'

'Omdat ik daar zin in heb.'

'Maar dat moet u niet doen.'

'Nee, je hebt gelijk,' zegt Ria terwijl ze haar glas opnieuw vult. Francien loopt naar haar toe. Ze neemt de fles uit haar hand en zegt: 'Zo los je ook geen problemen op, ze worden alleen maar erger.'

'Ach jij.'

'Wat ik?'

'Je moest eens weten.'

'Wat moet ik weten, waarom zegt u dat zo vaak tegen mij?'

'Je vader, hij is ...' Verder komt Ria niet. Ze buigt haar hoofd en er lopen tranen over haar wangen. Francien gaat naast haar zitten.

'Ma, is pa soms ...?'

'Dat weet ik niet.'

'Nee, ik kan niet geloven dat pa met een andere vrouw gaat, nee, zo is hij niet, daar is hij het type niet voor.'

Ria haalt haar schouders op en veegt haar tranen weg.

'Waarom denkt u zoiets van pa?'

'Hij heeft geen lichamelijk contact meer met mij.'

'Hoe bedoelt u?'

'Als man en vrouw, hij heeft een ander, dat is zeker,' zegt Ria als de wijn gaat werken.

'U verdenkt hem ervan, maar weet het niet zeker, dat is niet eerlijk.'

'Er zijn zoveel dingen waar ik het aan kan merken.'

'Waarom vraagt u het hem niet gewoon?'

'Dat heb ik gedaan, maar dan geeft hij geen antwoord.'

'Heeft hij daar dan een reden voor?'

'Alles heeft een reden.'

'Waarom zou pa zoiets doen?'

'Dat kan ik je niet vertellen.'

'Heeft het ook met mij te maken?'

Ria schrikt en loopt naar de keuken.

'Zeg het, ma.'

'Wat wil je horen?' zegt Ria terwijl zij zich omdraait en voor haar dochter gaat staan.

'Wat er is dat ik niet mag weten en waar jullie vaak ruzie over hebben?'

'Je vader is gewoon jaloers.'

'Waar zou pa jaloers over moeten zijn?'

'Dat weet ik ook niet,' antwoordt Ria terwijl ze een broodje smeert en aan de keukentafel gaat zitten.

Francien schenkt een glas melk voor zichzelf in en vraagt wat haar moeder wil drinken bij het ontbijt.

'Ik heb al genoeg gedronken,' antwoordt Ria met een gemaakte glimlach.

'Ja, wijn op de vroege morgen. Ik zal koffie voor u zetten, dan wordt u weer nuchter en kunnen we normaal met elkaar praten.'

Als Francien koffie heeft gezet en voor zichzelf een broodje heeft gesmeerd, gaat ze tegenover haar moeder aan de keukentafel zitten. Ze ziet dat haar moeder er slecht uitziet en is bezorgd.

'Bent u ziek, ma?'

Ria schudt haar hoofd.

'Bent u bezorgd omdat pa weer een paar weken in Duitsland blijft?'

Ria geeft geen antwoord.

'Zeg het eerlijk, vroeger als pa op zakenreis ging, vond u het normaal. Nu bent u zichzelf niet meer en piekert u te veel.'

'Vroeger was alles anders, jij bent ouder geworden en je weet nu ook wat er te koop is in de wereld.'

'U doelt op Simon?'

'Onder andere.'

'Maar Simon heeft geen ander.'

'Dat weet je maar nooit.'

'Simon is gewoon jaloers op Ernst.'

'Waarom wil je Ernst niet, wat is er mis aan die jongen?'

'Omdat ik niet van hem houd.'

'Wel van Simon?'

'Ja.'

'Toch is het geen partij voor jou.'

'Omdat hij niet in pa zijn straatje past?'

'Dat weet je heel goed.'

'Nooit wil ik met een ander gaan dan met Simon,' antwoordt Francien eerlijk.

'Je vader zal er nooit toestemming voor geven.'

'Dat hoeft ook niet.'

'Het is toch uit tussen jullie?'

'Ik ga met hem praten.'

'Weet je zeker of Simon wel van jou houdt?'

'Wat is zeker?'

'Heeft hij het uitgemaakt omdat Ernst bij jou in de auto zat?'

'Ja.'

'Waarom leg je het hem dan niet gewoon uit? Als jij denkt dat hij van je houdt, dan zal hij begrip tonen en je niet zomaar aan de kant zetten.'

Francien slaakt een diepe zucht en zegt: 'Hij is gewoon jaloers en ik wil er met hem over praten en hem om vergeving vragen.'

'Dat heb je toch al een keer gedaan?'

'Het is volgens mij niet alleen omdat hij jaloers is, maar omdat jullie hem niet willen aanvaarden.'

'Je bedoelt je vader?'

'U wel?'

'Wat zou ik tegen Simon hebben? Nee, aan mij ligt het niet en dat weet je heel goed.'

'Waarom mocht hij dan nooit met jullie komen praten of gewoon hier thuis komen?'

'Dat wil je vader niet en jullie hebben er nooit om gevraagd.'

'Omdat Simon wist dat hij hier niet welkom is.'

'Je vader wilde hem hier niet ontvangen, dat weet je heel goed.'

'Als ik het hem nu eens vraag?'

'Wat mij betreft mag hij hier komen als jullie echt van elkaar houden,' antwoordt Ria.

'Ik ga nog wat slapen,' zegt ze terwijl ze opstaat.

'Het is al acht uur geweest.'

'Ik heb de hele nacht niet geslapen en voel mij wat slap in de benen.'

'Waarom drinkt u de laatste tijd zo veel wijn?'

'Meestal alleen als ik naar bed ga en niet goed kan slapen.'

'Waarom gaat u niet eens naar de huisarts.'

'Wat moet ik daar doen?'

'Om een slaapmiddel vragen in plaats dat u sterkedrank drinkt.'

'Nee kind, dan gaat de arts vragen stellen over mijn problemen.'

'Die zijn er toch?'

'Nou ja, daar heeft die arts niks mee te maken.'

'O ja, dat is waar ook, wij staan hier in het dorp bekend als keurige welgestelde zakenmensen,' zegt Francien met een gemeen lachje.

'Welgesteld ja, maar zakenmensen, nee. Je vader, ja.'

'Waarom bent u eigenlijk met pa getrouwd?'

'Waarom vraag je dat?' vraagt Ria achterdochtig.

'Nou ja, u komt uit een gewoon gezin.'

'Wat heeft dat met ons huwelijk te maken?'

'Heel veel.'

'Jij wilt toch ook met een gewone jongen omgang hebben?'

'Ik ben geen zakenvrouw.'

'Maar wel welgesteld. Je moet als je vader ermee stopt de firma overnemen.'

'Nooit!'

'Waarom niet?'

'Als Simon mij nog wil hebben, dan ga ik Simon bij zijn werk helpen, heb ik besloten.'

'Dat is toch niks voor jou. Ik zie jou al onder een koe zitten.'

'Dat hoeft tegenwoordig niet meer.'

'Ja, dat is waar, toch komt er nog veel vies werk bij kijken op een boerderij,' houdt Ria vol.

'Dat went wel.'

'Dat doe je allemaal om Simon, is het niet?'

'Dat heb ik ervoor over, als hij mij terug wil hebben,' antwoordt Francien voorzichtig.

'Natuurlijk wil hij jou hebben. Jij erft later alles en dan laat hij zijn boerderij wel varen, dacht ik zo. Zelfs boeren vinden geld lekker ruiken als ze er eenmaal aan geroken hebben.'

'U kunt toch beter naar bed gaan, de wijn gaat al aardig werken.'

'Ga je nu echt zo naar Simon en hem om vergeving vragen?'

'Ja, waarom niet?'

'Kun je niet beter wachten tot hij laat merken dat hij jou niet kan missen?'

'Boeren zijn op dat gebied anders, ma.'

'Hoezo?'

'Hij vertrouwde mij niet omdat Ernst bij mij in de auto zat. Hij is erg jaloers en zal van mijn kant willen horen dat ik alleen van hem houd en uitleg waarom ik zo dom ben geweest. Hij voelt zich vernederd.'

'Toch zou ik nog wat afwachten,' houdt Ria vol.

'Eigenlijk durf ik zelf ook niet zo, als hij mij weer afwijst ...'

'Dan moet je niet meer met hem omgaan. Als hij echt om je geeft, dan moet hij niet zo eigenwijs zijn.'

'En u dan?'

'Wat wil je daarmee zeggen?'

'Kunt u pa vergeven?'

'Wat moet ik je vader vergeven?' vraagt Ria wat kort.

'Nou ja, u vertrouwt pa niet. Hij verblijft in Duitsland terwijl hij in een paar uur hier thuis kan zijn.'

Ria geeft geen antwoord.

'Heeft u zelf geen schuld?'

Ria kijkt haar dochter aan en vraagt: 'Wat wil je daarmee zeggen?'

'Nou niks, maar ik vind het maar raar. En ook dat u volgens mij niet meer kinderen wilde.'

'Nee.'

'Waarom niet?'

'Dat is persoonlijk en daar waren je vader en ik het samen over eens geworden.'

'Toch heb ik het wel eens anders gehoord.'

'Heeft je vader daar met jou over gesproken?'

'Nee, dat niet.'

'Hoe kun je er dan zo over praten?'

'Omdat het niet normaal is.'

'Wat is niet normaal?'

'Jullie hebben daar ook vaak ruzie over en dan bent u vaak overstuur.'

'Dat heeft er niks mee te maken.'

'Soms hoor ik dingen waar ik niks van begrijp.'

'Van wie?'

'Als jullie tegen elkaar tekeergaan.'

'Over vroeger?'

'Ja, over opa en oma. U heeft een slechte tweede vader gehad en u heeft daar nog last van.'

'Waarom zou ik daar nog last van hebben?' vraagt Ria nerveus.

'Uw stiefvader sloeg u wel eens of wilde u slaan of zo?'

'Je moet niet op praatjes afgaan.'

'Dat zijn geen praatjes als jullie woorden tegen elkaar schreeuwen, dan vang ik daar vaak wat van op.'

'Mijn stiefvader was een slecht mens voor mij en ook voor mijn moeder. Ze is dan ook vroeg gestorven, zoals je weet.'

'Ja, ik mocht er nooit komen van u. Ik ben er een keer stiekem geweest en als kind vertelde ik u alles eerlijk en toen moest ik de hele middag en avond van u voor straf naar mijn kamer. Dat vergeet ik nooit. Oma was een lieve vrouw. Voor die tweede vader van u was ik een beetje bang,' vertelt Francien met een wat verdrietige stem.

Ria geeft geen antwoord en gaat de trap op naar boven.

'Gaat u echt naar bed, ma?'

'Ja.'

'Zal ik dan maar thuisblijven?'

'Nee.'

'Dan ga ik naar Simon.'
'Zoals je wilt.'

Francien trekt haar jack aan en gaat door de zijdeur de garage in. Ze stapt in haar auto en drukt op een knop zodat de garagedeur opengaat. Ze rijdt de oprijlaan uit en rijdt na een halfuur langs het kanaal waar ze in de verte de boerderij ziet liggen.

Zal ze omkeren? Had haar moeder niet gelijk dat ze beter nog een tijdje kan wachten? Nee, ze wil het uitpraten. Ze heeft niks verkeerds gedaan. Simon vertrouwt haar gewoon niet. Hoe zou ze zelf reageren als ze Simon met een ander meisje in zijn auto had gezien en dat bij hem op de boerderij logeerde zoals Ernst bij hen thuis? Ze had niks met Ernst. Maar toch, die avond toen ze met hem uit eten ging vroeg hij haar. Ze was toen overstuur en is gelijk naar huis gegaan. Toen ze de andere dag bij Simon kwam heeft hij het uitgemaakt. Als hij haar nu nog niet wil geloven, dan komt het niet meer goed. Hij zal toch wel echt van haar houden, of misschien heeft hij wel een ander? Daar heeft ze nooit zo bij stilgestaan. Simon is niet zo'n meiden gek. Op school ook niet. Ze had vroeger nooit kunnen denken dat ze van hem zou gaan houden. Een boerenjongen, nee, dat had ze nooit gedacht. Toen met die steekpartij en in het ziekenhuis leerde ze hem kennen als een jongen waar ze van hield. Simon is een eerlijke jongen, niet zoals andere jongens die ze in haar vriendenkring en op school ontmoet.

Dan wordt ze ineens koud en warm tegelijk als ze het erf oprijdt van de boerderij. Ze blijft nog even in de auto zitten en kijkt of ze hem ergens op het erf ziet. Dan stapt ze uit en gaat naar binnen, de deel over. Ze hoort in de verte stemmen vanuit de woonkeuken. Ze klopt op de deur van de woonkeuken , doet de deur open en ziet de ouders van Simon aan de keukentafel zitten. Ze drinken koffie.

'Hallo Francien, jij hier?'

'Ja, mag ik binnenkomen?' vraagt ze wat verlegen.

'Je bent al binnen,' zegt de boer met een glimlach op zijn gezicht.

'Ga zitten, deern, wil je koffie?'

'Ja, graag.'

Francien gaat op een van de keukenstoelen zitten aan de grote keukentafel.

'Zo, hoe is het met jou, Francien?' vraagt de boerin.

'Gaat wel.'

'Kom je voor Simon?'

'Ja, is hij thuis?'

'Hij is naar de garage.'

'O.'

'Je weet wel, die Toyotadealer bij ons in het dorp.'

'Koopt hij een nieuwe auto?'

'Nou, een nieuwe zal het niet zijn. Hij had er een gezien waar de kop af was,' legt de boer uit.

Francien drinkt snel haar mok koffie leeg en staat op.

'Wat heb je ineens haast?' vraagt de boerin.

'Ik wil gaan kijken bij die auto. Mijn vriendin Rianna is de dochter van de baas van de garage en zij verkoopt ook auto's.'

'Misschien krijg jij wat meer korting als je nog op tijd bent,' lacht de boer.

'Dat zal wel niet lukken.'

'Kom je samen met Simon terug om hier te eten?'

'Dat weet ik nog niet,' antwoordt Francien terwijl ze snel naar buiten loopt, in haar auto stapt en naar het dorp rijdt.

Als ze haar auto parkeert, schrikt ze hevig. Ze ziet Simon samen in een auto stappen met Rianna.

Hij zal toch niet ... Nee, hij gaat een proefrit met haar maken.

Ze rijden het terrein af. Zal ze hen volgen? Dat is niet eerlijk.

Toch rijdt ze op een grote afstand achter hen aan. Ze rijden langs de dijk en rijden dan een bospad in. Ze stoppen. Ze kan ze niet verder volgen, dan zullen ze haar zien. Ze zet haar auto langs de dijk en loopt naar de rand van het bos. Dan ziet ze hen in de auto elkaar zoenen.

Francien draait zich om en rent terug naar de dijk, naar haar auto. Tranen lopen over haar wangen. Dus hij heeft wel een ander. Rianna, haar vriendin, wat gemeen! Waarom doet hij haar dit aan?

Francien rijdt het dorp door en gaat dan via de randweg naar de stad. Ze heeft geen zin om naar huis te gaan. Haar moeder ligt in bed en heeft haar eigen verdriet.

Als ze in de stad is rijdt ze naar een parkeerterrein en blijft daar een tijdje in haar auto zitten. Ze laat haar tranen de vrije loop. Ze had nooit kunnen denken dat Simon zo snel al een ander zou nemen en dan nog wel haar vriendin Rianna. Zijn dan alle mannen zo? Heeft hij wel echt van haar gehouden?

Ze stapt uit de auto en loopt de winkelstraat door. Als ze voor een winkelraam staat, stopt er een grote auto. Het portierraam gaat open en een bekende stem roept haar naam.

'Francien!'

Francien draait zich om. Ze ziet een grote Mercedes staan met het portierraam open en kijkt in de ogen van Ernst. Verbaasd zegt ze: 'Jij hier?'

'Ja.'

Ze loopt naar de auto.

'Stap in, joh, ik was onderweg naar jullie.'

'Is mijn vader dan weer terug?'

'Nee.'

'Ben je alleen voor zaken hier?'
'Zoals je het noemen wilt.'
'Moet je naar ons kantoor?'
'Nee, dat niet.'
'Waar ga je dan heen?'
'Naar jullie huis,' antwoordt Ernst voorzichtig.
'Is er wat met mijn vader gebeurd?'
'Nou ja.'
'Is het ernstig?' vraagt Francien ongerust.
'Het is maar of je het ernstig kunt noemen.'
'Draai er niet omheen en zeg wat er met mijn vader is.'
'Hij zit in moeilijkheden.'
'Zakelijk of zo?'
'Dat ook, ja.'
'Wil je er niet over praten met mij?' zegt Francien kwaad.
'Het lijkt mij verstandiger als je moeder er ook bij is,' antwoordt Ernst terwijl hij de stad uit rijdt naar het land- huis, het ouderlijk huis van Francien.

14

Het is al middag als Ernst samen met Francien de oprit van het landhuis van Franciens ouderlijk huis oprijdt.

Als ze uitstappen zegt Francien: 'Mijn auto staat nog op het parkeerterrein in de stad.'

'Die halen we vandaag wel op.'

'Dat is goed.'

Ze gaan achterom en komen op het grote terras waar Ria een glas fris zit te drinken. Verbaasd zegt ze als ze Francien samen met Ernst ziet verschijnen: 'Hoe kom jij hier?'

'Dat is een lang verhaal,' antwoordt Ernst terwijl hij Ria een hand geeft.

'Heeft u nog wat kunnen rusten, ma?' vraagt Francien als ze haar moeder aankijkt die erg bleek ziet.

'Nee, niet echt.'

'U mag nog wel wat rusten.'

'Nee, liever niet.'

'Ga maar zitten, Ernst, dan haal ik wel wat fris voor ons,' zegt Francien terwijl ze door de grote terrasdeuren naar binnen gaat. Als Francien alleen in de keuken is krijgt ze ineens dat beeld voor zich met haar vriendin en Simon die elkaar zoenen in de auto. Simon heeft dus een ander en nog wel haar vriendin Rianna. Simon deed altijd tegenover haar dat ze niet bij elkaar pasten in verband met hun rijkdom, maar Rianna is ook welgesteld, haar ouders hebben een goedlopende garagebedrijf. Nee, dit had ze nooit van hem verwacht. En dan ineens is daar Ernst uit Duitsland die haar ontmoette in de stad.

Ze gaat met twee glazen fris naar het terras en zet de glazen op het tafeltje.

'Is mijn man ook hier in Nederland, samen met jou?' vraagt Ria.

'Nee, ik ben alleen.'

'O, moet je nog wat zaken afhandelen?'

'Zoiets ja,' antwoordt Ernst wat moeilijk.

'Er is toch niks met Vincent?' vraagt Ria die merkt dat Ernst nerveus is.

'Niet wat u denkt.'

'Wat wil je daarmee zeggen?'

Ernst geeft geen antwoord.

'Zijn er moeilijkheden met je moeder?'

'Dat ook, ja.'

'Ben je hierheen gestuurd om met mij te praten?' vraagt Ria voorzichtig.

'Niet gestuurd.'

'Waarom doe je zo geheimzinnig?' vraagt Francien.

'Laat ik open kaart spelen,' zegt Ernst terwijl hij rechtop gaat zitten.

Ze kijken Ernst aan alsof hij een oordeel over hen gaat uitspreken.

'Zakelijk gezien ben ik het niet eens met mijn moeder en uw man,' begint Ernst voorzichtig.

'Dus het is zakelijk?'

'Ja.'

'Kom je naar ons toe om te klagen over je moeder en mijn vader?' vraagt Francien wat kort.

'Het gaat ook over jullie.'

'Vertel.'

'Heeft u wel eens over een fusie gehoord van uw man?'

'Ja, maar met wie?'

'Met mijn moeder, ik bedoel met onze firma.'

'Vincent werkt vaak met jullie samen als het om een groot project gaat in Duitsland,' zegt Ria.

'Het gaat ook om een groot project, maar mijn moeder wil meer.'

'Wat bedoel je daar mee?'

'Ze wil van ons en jullie bedrijf één groot bedrijf maken zodat ze grote projecten kunnen krijgen.'

'Wat is daar mis mee?' vraagt Francien.

'Heel veel.'

'Weten jouw moeder en mijn man dat je hier bent?' vraagt Ria die het allemaal wat vreemd vindt.

'Nee,' antwoordt Ernst met een wat zachte stem.

'Dus je komt ons zogenaamd waarschuwen?'

'Zo mag u het noemen.'

'Wat heb je erop tegen als mijn man met jullie samenwerkt?'

'Normaal niks.'

'Wat is er dan mis mee?'

Ernst gaat met zijn hand door zijn haren en weet niet hoe hij het zo voorzichtig mogelijk kan uitleggen.

'Als ik het goed begrijp hebben mijn man en jouw moeder grote zakelijke plannen en ben jij het daar niet zo mee eens en kom je bij ons je beklag doen. Heb ik het goed?' zegt Ria die merkt dat Ernst meer wil vertellen maar er niet open over durft te praten.

'Weet u wat een fusie betekent?' begint Ernst dan wat zakelijk.

'Dat twee bedrijven een soort verbond sluiten.'

'Gaat u daarmee akkoord, ik bedoel, weet u wat het inhoudt? Heeft uw man er wel eens met u over gesproken?'

'Niet over een fusie. Wel dat hij samen met jullie een groot project heeft aan de Moezel. Ze willen daar een groot appartementencomplex beginnen met hotels en zo en daarom was jij ook verleden week hier bij ons. Zoveel weet ik wel van de zaak af,' vertelt Ria.

'Oké, dat is zo.'

'Wat wil je dan verder?'

Ernst gaat staan en laat een zucht ontglippen.

'Zijn er moeilijkheden, gaat het niet door?'

'Dat wel, maar jullie begrijpen mij niet.'

'Jij houdt voor ons wat achter, Ernst.'

Dan kijkt Ernst Ria aan en fluistert alsof hij wordt afgeluisterd: 'Ze willen jullie uitschakelen.'

'Ons uitschakelen?'

'Ja, uitkopen.'

'Mijn man?'

'En mijn moeder.'

'Wees eens wat duidelijker.'

'U begrijpt dat ik het niet eens ben met deze zaak, al is het mijn eigen moeder, jullie kennen mijn moeder niet.'

'Nee, vreemd, je moeder is hier nog nooit geweest, terwijl ze toch veel zakendoet met mijn man,' antwoordt Ria.

Francien, die niet veel verstand van zaken heeft en meer met haar eigen problemen bezig is en nu Ernst over zijn moeder hoort praten alsof het voor hem een vreemde vrouw is, vraagt: 'Heb jij moeilijkheden met je moeder?'

'Daar kan ik moeilijk een antwoord op geven.'

'Waarom kom je dan naar ons?'

Ernst loopt wat heen en weer en zegt: 'Weet u van de zaken van uw man, ik bedoel zijn privézaken?'

'Wat wil je daarmee zeggen?'

'Weet u, uw man en mijn moeder werken veel samen en dan kan er wel eens een verhouding ontstaan, heeft u daar nooit bij stilgestaan?' vraagt Ernst met de rug naar hen toe.

'Wil je soms zeggen dat je moeder een verhouding heeft met mijn man?' zegt Ria terwijl ze ook opstaat en voor Ernst gaat staan.

Ernst slaat zijn ogen neer en knikt.

'Dus toch.'

'Kom je naar ons om dit aan mijn moeder te vertellen?' zegt Francien.

'Zo mag je het zien,' antwoordt Ernst.

'Waarom zou een zoon zijn moeder gaan verlinken,' zegt Francien dan fel.

Ernst haalt zijn schouders op.

'Weten ze echt niet dat je hier bent, of hebben ze jou hierheen gestuurd als voorbode?'

Ernst gaat weer zitten en ondersteunt zijn hoofd, kijkt hen dan een voor een aan en zegt met een ernstig gezicht: 'Het is mijn eigen moeder en vaak ben ik het niet met haar eens. Ze kan te ver gaan en niet alleen omdat ze een verhouding heeft met uw man, maar ook omdat ze zo goedkoop mogelijk van jullie af wil zijn.'

'Hoe bedoel je dat?'

'Ze willen jullie uitkopen.'

'Dus daar draait het bij je moeder om, ze wil ons aan de kant zetten?'

'Dat bedoel ik,' zucht Ernst nu het hoge woord eruit is.

Ria houdt haar handen voor haar gezicht en snikt: 'Hoe kon het zover komen? Ons huwelijk was de laatste jaren niet zo goed en ik wist wel dat hij goed met je moeder kon opschieten en nu weer een tijd bij haar is. Maar dat jij, Ernst, het ons moet komen vertellen. Waarom Ernst? Heeft mijn man je gestuurd? Zeg het dan eerlijk.'

'Nee, ik heb hier een week bij jullie gelogeerd en zaken met uw man op kantoor gedaan. Toen wij terug waren in Duitsland, bleek dat mijn moeder achter onze rug een fusie heeft bedacht. Ze heeft uw man met haar charme zo ver bracht dat hij akkoord gaat zonder er met jullie over te praten. En toen uw man jullie in de firma wilde houden wat aandelen betreft, had mijn moeder al een ander plan bedacht en daar schrok ik van.'

'Je bedoelt dat wij een bedrag krijgen of zo?' vraagt

Francien die het niet erg kan volgen.

'Een geldbedrag en jullie mogen hier blijven wonen,' legt Ernst uit.

Francien kijkt naar haar moeder en ziet dat ze er nu nog bleker uitziet en dat er tranen over haar wangen lopen.

'Ma luister, ma, ik ben er ook nog!'

Ria knikt.

'Zal ik u wat pillen geven, gaat u wat rusten, ma?'

Ria geeft geen antwoord. Ze staat op en gaat naar binnen. Ze loopt de brede trap op en verdwijnt in haar slaapkamer.

Francien kijkt angstig naar Ernst en zegt terwijl ze ook opstaat: 'Ik ga even bij mijn moeder kijken, dit gaat niet goed.'

Ernst knikt en neemt een slok fris alsof hij de vieze smaak uit zijn mond wil spoelen die hij hier heeft uitgespuwd.

Wat heeft hij hier nu teweeggebracht. Alleen maar ellende; waar bemoeit hij zich mee, piekert Ernst, nu hij alleen achterblijft op het terras.

Als Francien bij haar moeder op de slaapkamer komt, hoort ze haar moeder zacht snikken: 'Het is allemaal mijn eigen schuld, ik had niet met hem moeten trouwen, het is niet eerlijk!'

Francien gaat op de rand van het bed zitten en vraagt: 'Wat is niet eerlijk, ma?'

Ria kijkt haar dochter door haar tranen heen aan en snikt: 'Het is mijn eigen schuld, je vader heeft het moeilijk.'

'Hoe komt u daar nu bij? U, die altijd voor ons klaarstaat. Hij is mijn vader niet meer, ik wil hem niet als vader!' roept Francien kwaad.

Ria kijkt haar dochter angstig aan en denkt: Zal ze het dan toch weten? Zou Ernst het weten, heeft hij het haar verteld?

'Waarom kijkt u mij zo aan, ma?'

'Nee, niets.'

'U moet nu wat gaan rusten, ik zal wat rustgevende pillen pakken.'

Even later komt Francien met een glas water en twee pillen. Ria neemt ze in en gaat weer liggen.

'U blijft voorlopig in bed. Als er wat is, dan belt u mij. Hier ligt uw mobiel, zo kunt u mij overal bereiken.'

Ria knikt en sluit haar ogen.

'Ik praat nog wel wat met Ernst en u hoeft zich niet ongerust te maken, alles komt in orde. Samen zijn wij sterk, ma. Pa kan ons niet zomaar aan de kant schuiven. Hij zal aan mij een zware dobber krijgen, ma!'

Ria geeft geen antwoord, ze piekert op dit moment meer over Francien dan over haar man. Als zij de waarheid hoort, van Ernst, als Vincent alles heeft verteld aan Ernst z'n moeder en Ernst het van zijn moeder heeft gehoord. Dan weet Francien dat Vincent niet haar biologische vader is.

Francien gaat naar beneden en gaat op het terras zitten bij Ernst.

'Wil je nog wat drinken?' vraagt Francien.

'Doe maar een pilsje.'

'Oké, dan neem ik er ook een.'

Als ze op het terras met een glas bier zitten vraagt Ernst: 'Hoe gaat het met jou en je vriend?'

Francien geeft geen antwoord.

'Dus het is nog steeds uit?'

Francien knikt.

Ernst krijgt een warm gevoel, ook al is hij hierheen gekomen om te praten met haar moeder, toch is het meer bij hem om Francien te doen. Als hij Francien nooit ontmoet had, was hij dan ook hierheen gegaan om zijn eigen moeder dwars te zitten, nee toch?

'Wil je praten?'

'Waarover?'

'Over die vriend van je?'

'Wat heb jij daarmee te maken?'

'Dat weet je maar nooit.'

'Je komt met mijn moeder praten over dingen die voor haar ernstig zijn, wat brengt jou eigenlijk hier?'

'Daar ben jij ook oorzaak van,' antwoordt Ernst eerlijk.

'Wat heb ik met jou te maken?'

'Het is ook jouw vader, vind je het dan niet erg?'

'Voor mijn moeder wel, maar mijn vader laat mij koud de laatste jaren. Hij is de laatste jaren bijna nooit thuis en als hij thuis is, dan maakt hij ruzie met mijn moeder of met mij.'

'Dus van jou mag hij bij mijn moeder blijven?'

'Ik kan hem missen, mijn moeder niet, die gaat eraan onderdoor. Ze is de laatste tijd al vaak overstuur.'

'Zou ze het geweten hebben van mijn moeder?'

'Ze had wel een vermoeden.'

'Toch erg voor haar.'

'Is je moeder een type dat mannen verleidt?'

'Nou, niet echt. Ze is mijn vader altijd trouw gebleven, al deed zijzelf vaak veel zaken toen mijn vader ziek was en de zaken door moesten gaan. Nee, ik kan mij niet herinneren dat ze mannen het hoofd op hol bracht.'

'Waarom mijn vader nu dan wel?'

'Ze is al ruim twee jaar weduwe en doet vaak zaken met je vader.'

'Mijn vader doet vaak zaken in Duitsland, maar je moeder komt nooit naar Nederland om hier zaken te doen.'

'Ze is vaak in Nederland geweest, maar niet bij jullie hier in huis. Je vader liet haar hier niet logeren.'

'Jou wel.'

'Ja, hij wilde per se dat ik bij jullie logeerde toen we hier zaken deden.'

'Toch kan ik het niet goed volgen waarom je nu hier bent.'

'Dat kan ik goed geloven.'

'Hoe denkt je moeder daarover?'

'Ze denkt dat ik naar Engeland ben.'

'Voor zaken?'

'Nee, ik tennis en we hebben volgende week een toernooi in Engeland.'

'Dus je moeder denkt dat je in Engeland bent om te tennissen in plaats van dat je hier bij ons bent?'

'Volgende week kan ik nog naar Engeland gaan, dan begint het toernooi pas echt.'

'Dus je bent een week te vroeg?'

'Nee. Meestal gaat ons team al een week van tevoren om wat in te spelen op de velden.'

'Als je moeder het niet vertrouwt, kan ze er dan niet achter komen dat je hier bent?'

'Nee, ik heb mijn trainer op de hand, hij weet dat mijn moeder niet mag weten dat ik hier ben.'

'Waarom doe je zoveel moeite voor ons?'

'Dat heb ik je al een paar keer uitgelegd.'

'Maar je had het over mij.'

Dan kijkt Ernst haar aan en antwoordt: 'Francien, ik weet dat het nu geen tijd is om over mijn gevoelens te praten met jou.'

'Wat wil je daarmee zeggen?'

'Ach, laat maar.'

'Ernst je wilt toch niet zeggen dat je hier ook voor mij bent gekomen?'

'Dat heb ik je al een paar keer laten merken, maar je hebt wel andere dingen aan je hoofd, neem ik aan.'

'Ja, het is vandaag voor mij echt een rotdag,' snikt Francien.

Voorzichtig pakt Ernst de hand van Francien en fluistert:

'Nu maak ik jou ook nog overstuur.'
  'Nee, nee, die rotvent.'
  'Simon?'
  'Ja.'
  'Wat is er met hem?'
  'Hij heeft een ander.'
  'Trek het je niet aan, jij kunt wel betere krijgen, hij verdient jou niet.'
  'Nee.'
  'Ben je nog verliefd op hem?'
  'Nu niet meer, hij heeft mij op het hart getrapt.'
  'Hoezo?'
  'Ik zeg toch dat hij een ander heeft.'
  'Zo'n vent is jou niet waard.'
  'Hij gaat nu met mijn vriendin.'
  'Toch niet die van die autodealer?'
  'Ja, het is gemeen,' snikt Francien opnieuw.
  'En dan kom ik hier met een verhaal over je vader, stom van mij.'
  Francien kijkt Ernst aan en veegt haar tranen weg.
  'Gaat het weer een beetje?'
  'Toch kan ik jou niet begrijpen, Ernst.'
  'Waarom niet?'
  'Dat jij je eigen moeder en mijn vader hier komt verraden.'
  'Het is meer een waarschuwing voor jullie.'
  'Zou mijn moeder geweten hebben dat mijn vader bij je moeder was, ik bedoel, dat ze een verhouding hebben?'
  'Dat lijkt er wel op.'
  'Hoe moet het nu verder, Ernst? Mijn moeder is te zwak en vindt alles goed nu ze zo overstuur is.'
  'Maar jij kunt toch beslissen in haar plaats?'
  'Mijn vader en jouw moeder kan ik niet aan en zeker niet zakelijk, daar heb ik geen verstand van. En bij ons op kan-

toor staan ze allemaal achter mijn vader. Hij is hun directeur.'

'Daar heb je gelijk in.'

'Wat zou jij doen?'

'Afwachten en dan een advocaat nemen. Mijn moeder en jouw vader zullen wel een aanbod doen om jullie uit te kopen,' legt Ernst uit.

'Het is wel heel erg als je man en je vader zijn eigen vrouw en dochter uit de firma wil wegkopen,' zegt Francien verdrietig.

'Mag ik jou en je moeder hierin bijstaan, Francien?'

'Het is te hopen dat jij wel te vertrouwen bent.'

'Echt wel, Francien,' antwoordt Ernst terwijl hij opnieuw haar hand vastpakt.

15

Ernst blijft die nacht logeren en slaapt in dezelfde slaapkamer als toen hij voor zaken in Nederland was. Nu is alles zo anders voor hem. Is het wel goed wat hij gedaan heeft? Ria is overstuur en ook Francien heeft het moeilijk. Ook omdat ze Simon gezien heeft met haar vriendin. Ergens in hem is hij blij dat het uit is met Simon. Is dat wel eerlijk? Is zijn liefde oprecht? Genieten omdat Francien verdrietig is? Zal ze dan van Simon blijven houden? Zal ze wel van hem kunnen houden? Hij hoeft er zelf niet over na te denken. Al bij de eerste ontmoeting met haar wist hij dat hij vanbinnen warm werd en van haar hield, al had ze een vriend. Wat moet hij hier doen, hij kan hier toch geen week blijven, of toch wel? Kan hij moeder en dochter in deze situatie achterlaten? Was het wel verstandig om hierheen te gaan? Hij moest hen toch waarschuwen voor de gevolgen die er gaan gebeuren als zijn moeder haar zin krijgt en een fusie aangaat met dit bedrijf in Nederland? Zijn moeder kennende zal ze de touwtjes stevig in handen nemen. Moest hij dat hier even gaan vertellen! Is hij niet een slappeling, twee vrouwen overstuur maken en nog wel het meisje dat hij liefheeft? Waarom is hij niet zo flink zoals een echte zakenman behoort te zijn? Hij had moeten optreden tegen zijn moeder en haar duidelijk moeten maken dat dit echt niet kan en ook tegen de vader van Francien eerlijk zijn mening moeten laten horen. Nee, hij ging eigenlijk op de vlucht voor zijn moeder. Die een man in haar web heeft gevangen, een man die zwak is en in moeilijkheden zit met zijn huwelijk en zijn dochter.

Ernst kan niet in slaap komen. Hij voelt zich schuldig, maar wat moet hij nu doen? Kon hij maar wat doen voor

Francien. Ze heeft verdriet om haar vriend en haar vader.

Dan hoort hij midden in de nacht gegil door het huis. Hij stapt uit zijn bed en rent de hal in. Hij ziet een deur openstaan en rent erheen. Dan ziet hij in de badkamer Ria liggen in een plas bloed, Francien bukt over haar heen.

'Wat is er gebeurd, Francien?'

'Ze heeft zich in haar polsen gesneden.'

Zonder antwoord te geven pakt Ernst zijn mobieltje en belt 112, rent dan terug naar Francien die de polsen van haar moeder aan het verbinden is.

'Hoe is het met haar?'

'Ze is bewusteloos.'

'Wat kunnen we doen?'

'O, als ze maar op tijd komen.'

'Ik heb ze gebeld.'

'Komen ze?'

'Ja.'

Niet veel later horen ze de sirene van een ambulance naderen. Ernst rent naar beneden en zet de voordeur open. Hij ziet in de verte de zwaailichten van de ambulance flitsen.

De ambulancewagen stopt voor de deur. Twee mannen rennen op hem af en vragen: 'Waar moeten we zijn?'

Ernst gaat hen voor naar de badkamer waar Francien huilend op haar knieën bij haar moeder zit.

'Laat mij eens kijken,' zegt een van de verpleegkundigen van de ambulancewagen. De ander haalt snel een brancard. Ernst helpt hem daarbij. Ria wordt er snel op gelegd.

Francien wankelt als ze wil gaan staan. Een van de broeders ziet het. Hij pakt haar beet en zegt tegen Ernst: 'Houd jij deze dame in de gaten.'

Ernst neemt Francien in zijn armen en legt haar op de bank. Ze is bewusteloos.

'Wij rijden snel naar het Stadsziekenhuis. Zorgt u voor haar?' vraagt de ambulancebroeder.

'Ja, dat is goed. Wij komen wel naar het ziekenhuis als het wat beter met haar gaat,' antwoordt Ernst.

Ernst maakt een washandje nat met koud water en gaat ermee over het voorhoofd en maakt haar polsen nat. Francien ziet spierwit.

Dan gaan haar ogen open en kijkt ze in de ogen van Ernst. Ze beseft de werkelijkheid van dit ogenblik en wil overeind gaan zitten, maar krijgt een vreselijke hoofdpijn.

Ernst ondersteunt haar hoofd en fluistert: 'Rustig, Francien.'

'Waar is mijn moeder?'

'Die is al in het ziekenhuis.'

'Ik moet naar haar toe.'

'Dat kan zo niet.'

Francien laat zich achterover vallen. Ernst pakt snel een glas water en laat haar drinken.

'Gaat het al beter?'

Francien geeft geen antwoord.

Ernst weet dat er een medicijnkastje in de badkamer is. Hij pakt een strip paracetamol en geeft haar er een.

Francien probeert opnieuw overeind te komen.

'Je moet gewoon wat blijven liggen tot je wat rustiger bent,' zegt Ernst bezorgd.

'We moeten naar mijn moeder.'

'Die is in goede handen.'

'Hoe is het met haar?'

'Dat weet ik niet, ze zorgen wel voor haar.'

'Maar als het te laat is ...'

'Je moet nu flink zijn.'

Dan komen de tranen en snikt Francien: 'Waarom doet ze dat nou?'

'Rustig nou maar, je moeder is erg overstuur, in het ziekenhuis kunnen ze haar helpen.'

'Als ze ...'

'Dat mag je niet denken.'

'Ik heb haar polsen strak verbonden, de sneden waren diep. Ze heeft veel bloed verloren,' snikt Francien.

'Je hebt haar goede eerste hulp verleend, ze heeft haar leven aan jou te danken,' praat Ernst haar moed in.

Als Francien rechtop zit op de bank en zachtjes huilt, gaat Ernst naast haar zitten. Hij slaat zijn arm om haar heen en fluistert: 'Rustig, Francien, we moeten nu flink zijn. Je hebt je moeder eerste hulp verleend en daarom ben je nu wat overstuur.'

'Ze haalt het niet, ze heeft vast te veel bloed verloren.'

'Dat kun je niet weten. Dit lijkt altijd erger dan het in werkelijkheid is.'

Dan staat Francien op en zegt: 'We moeten naar het ziekenhuis.'

'Red je dat wel?'

Francien knikt.

Ernst helpt haar in haar kleren en doet haar jack aan. Hij houdt haar vast bij haar arm en ze lopen dan naar zijn auto. Voorzichtig helpt hij haar in zijn auto.

Als ze bij het ziekenhuis aankomen begint het buiten al licht te worden. Ernst parkeert zijn wagen in de parkeergarage van het ziekenhuis. Ze gaan met een lift naar boven. Ernst ondersteunt Francien. Ze wankelt af en toe en ziet vreselijk wit. Ernst laat haar op een stoel zitten en loopt naar de balie van het ziekenhuis. Hij vraagt waar ze mevrouw Milder heen gebracht hebben.

'U bedoelt de vrouw die zojuist is binnengebracht?' vraagt de verpleegkundige met een zachte stem.

'Ja.'

'Wacht u daar maar bij uw vrouw, dan stuur ik wel iemand.'

Ernst gaat naast Francien zitten en legt zijn arm om haar schouder.

'Weet je al wat over mijn moeder?'

'Nee, ze zijn iemand halen, we moeten nog even wachten.'

Francien veegt haar tranen weg en laat haar hoofd zakken.

'Gaat het, Francien?'

Dan ineens valt Francien voorover en blijft op de vloer liggen. Snel zijn er een paar verpleegkundigen bij. Ze leggen haar voorzichtig op een brancard. Ze rijden haar in een kamertje waar een bed staat en leggen haar op het bed.

Een van de verpleegkundigen probeert haar bij te brengen door een nat washandje op haar voorhoofd te leggen.

Als Francien haar ogen opent, moet ze overgeven. De verpleegkundige die bij haar staat houdt een bakje onder haar kin. Ernst legt een hand op haar schouder en fluistert: 'Het komt heus wel goed, Francien.'

'Is zij de dochter?' vraagt een van de verpleegkundigen.

'Ja, weet u al hoe het met haar moeder is?'

De verpleegkundige schudt alleen haar hoofd als antwoord en ten teken dat ze er nu beter niet over kunnen praten nu Francien er zo slecht aan toe is.

'Wilt u wat drinken?' vraagt een van de verpleegkundigen.

Francien geeft geen antwoord en begint opnieuw te huilen.

'Rustig nou, Francien, je moet niet steeds overstuur raken.'

De verpleegkundige geeft Francien wat water te drinken. Voor Ernst brengt ze een kopje koffie.

'Kan ik u even apart spreken?' vraagt Ernst met een zachte stem zodat Francien het niet hoort.

'Gaat u maar even naar het kantoortje hiernaast, dan blijf ik wel bij uw vrouw.'

'Zij is mijn vriendin.'

'Nou ja.'

Dan gaat Ernst naar het kantoortje in de gang waar een paar verpleegkundigen zitten. Hij vraagt aan hen of ze al wat weten over mevrouw Milder en legt uit dat Francien haar gevonden heeft.

'Ze ligt nog steeds aan het zuurstof en wat andere apparaten. Ze is nog niet bij.'

'Is het ernstig met haar?'

'Dat weten we nog niet met zekerheid. Ze heeft veel bloed verloren. Het is afwachten, meneer.'

'Dank u.' Dan gaat Ernst terug naar het kamertje waar Francien ligt.

Francien ligt nog steeds met een bakje onder haar kin en moet af en toe wat braken. Er komt niet veel meer.

Ernst gaat met zijn hand over haar blonde, lange haar en zegt: 'Het komt allemaal wel weer goed.'

'Waar is mijn moeder, mag ik naar haar toe?'

'U moet eerst zelf wat tot rust komen,' antwoordt de verpleegkundige.

'Maar mijn moeder?'

'Ze zorgen goed voor uw moeder, u moet zich nu niet te druk maken.'

Dan wil Francien opstaan en vraagt opnieuw: 'Waar is mijn moeder, ik moet naar haar toe. Jullie moeten mij vertellen hoe het met haar is, ik wil het weten. Is ze ... ik wil erbij zijn als ze gaat sterven,' snikt Francien.

Dan geeft de verpleegkundige Francien een spuitje terwijl Ernst Franciens arm vasthoudt.

'U moet nu rustig blijven, zo gaat u rustig een poosje slapen.'

Opnieuw gaat Ernst met zijn hand over Franciens blonde haren en zegt: 'Je moet nu rustig wat gaan slapen.'

'Maar ik wil weten hoe het met mijn moeder is.'

'Ze is in goede handen,' antwoordt de verpleegkundige vriendelijk.

Tien minuten later vallen de ogen van Francien dicht en valt ze in slaap.

'Zo, die is in dromenland,' zegt de verpleegkundige.

'Weet u al wat over haar moeder?'

'Ze is nog steeds in levensgevaar, het is gewoon afwachten. We kunnen haar dochter er nu echt niet bij hebben in deze toestand. Het zal alleen maar ten nadele werken zolang ze nog in levensgevaar is en daarom hebben wij haar voor alle zekerheid wat laten slapen, dan komt ze ook wat tot rust,' legt de verpleegkundige uit.

'Dat begrijp ik volkomen,' antwoordt Ernst.

'Bent u een Duitser of woont u hier bij de familie?' vraagt de verpleegkundige.

'Nee, ik logeer bij hen.'

'Familie?'

'Nee, een zakenvriend.'

'Dus zij is een vriendin van u?'

'Ja, ik doe wat zaken voor haar vader.'

'Oké, was u erbij toen het gebeurde?'

'Nee, haar dochter vond haar in de badkamer. Ik hoorde een gil en toen ...'

'Heeft u haar eerste hulp verleend?'

'Nee, haar dochter heeft het zelf gedaan.'

'Echt? Dat zou je niet zeggen zoals je haar hier nu ziet. Ze is helemaal overstuur. Ze geeft over en dat is een teken dat ze erg overstuur is. Ze heeft het erg moeilijk. Ze heeft, als haar moeder erdoor komt, haar het leven gered door haar polsen goed af te binden en snel in te grijpen. Het was ook een geluk dat ze haar moeder op tijd heeft gevonden.'

'Daar weet ik weinig van. Ze zal wel naar het toilet gemoeten hebben en toen haar moeder daar hebben gevonden,' zegt Ernst.

'Zal ik nog een kopje koffie voor u halen?'

'Graag.'

Als de verpleegkundige weg is, gaat Ernst met zijn hoofd dicht naar Francien toe en drukt zacht zijn lippen op de hare.

Dan gaat de deur open en komt de verpleegkundige binnen met een kopje koffie. Ernst gaat aan het tafeltje zitten.

De verpleegkundige vraagt: 'U weet niet waarom haar moeder zo ver is gegaan door haar polsen door te snijden?'

'Daar praat ik liever niet over, ik ben geen familie.'

'Dat begrijp ik volkomen.'

'Leeft haar man nog of is ze gescheiden?'

'Die is in Duitsland bij ons,' antwoordt Ernst nu kort.

'Moet u hem niet waarschuwen?'

'Dat zal haar dochter Francien zelf moeten doen.'

'Goed, dan maken we later wel een rapport op als ze weer wat aanspreekbaar is.'

'Dat lijkt mij ook verstandiger.'

'Goed, dan ga ik nu even wat patiënten af. Als er wat is, dan drukt u maar op die knop bij haar bed.'

'Goed, dank u.'

Als Francien wakker wordt en Ernst ziet zitten vraagt ze: 'Waar ben ik?'

'In het ziekenhuis,' antwoordt Ernst terwijl hij naast haar bed gaat staan en haar hand vasthoudt.

'Wat is er met mij gebeurd?' vraagt Francien wat suf.

'Ze hebben je wat laten slapen. Je was overstuur en moest steeds overgeven. Gaat het nu wat beter?'

'Heb je al wat over mijn moeder gehoord?'

'Nee.'

'Is ze in levensgevaar?'

'Dat weet ik ook niet, Francien.'

'Waarom moet het allemaal zo lang duren?'

'Ze houden je moeder in de gaten en zorgen goed voor haar.'

'Waarom mogen wij niet bij haar zijn?'

'Zal ik het even gaan vragen?'

Ernst gaat weer naar het kantoortje en vraagt hoe het met Ria gaat.

'Nog steeds hetzelfde,' antwoordt een van de verpleegkundigen.

'Mogen we even bij haar kijken?'

'U wel.'

'Waarom haar dochter niet?'

'Die kan dat niet aan. Ze is al erg overstuur zoals u zelf weet. Als het echt mis gaat met haar moeder, dan roepen wij haar er wel bij.'

'Ze wil er per se bij,' houdt Ernst vol.

'Gaat u maar naar haar toe, dan ga ik overleggen met de dienstdoende arts.'

'Oké.'

Ernst gaat weer terug naar het kamertje waar Francien nog steeds op het bed ligt omdat ze nog zwak is.

'Mag ik naar mijn moeder?'

'Ze gaan met de arts overleggen.'

'Heb je nog gevraagd hoe het met haar is?'

'Ja.'

'Is ze buiten levensgevaar?'

'Het is nog steeds hetzelfde.'

'Ze gaat toch niet sterven, Ernst?'

'Wij kunnen alleen maar voor haar bidden,' antwoordt Ernst die nu ook wat emotioneel is geworden.

'Bidden kan ik al een tijd niet meer,' antwoordt Francien.

'Je moeder is een gelovige vrouw.'

'Dat was zij,' antwoordt Francien.

'Waarom zou ze het nu dan niet meer zijn?'

'Dan pleeg je geen zelfmoord.'

'Dat mag je niet zeggen, zij zag geen uitkomst meer.'

'Ik denk dat de Bijbel het anders zegt,' antwoordt Francien met een verdrietige stem.

'Toch is het een wanhoopsdaad.'

'Als ze nou eens sterft, ik moet er niet aan denken, zou ze dan verloren gaan? Ik bedoel ...'

'Zo moet je niet denken. Wij mensen mogen niet oordelen,' antwoordt Ernst.

'Toch is het wel zo.'

'Wat?'

'Dat ze dan verloren gaat.'

'Dat zou ik niet durven zeggen.'

'Toch is het wel zo,' houdt Francien vol.

'God staat boven de dood en heeft alle macht over leven en dood.'

'Dus jij denkt als ze ...' snikt Francien.

'Dan is God nog altijd de laatste Die zal oordelen,' antwoordt Ernst terwijl hij Franciens hand vasthoudt.

'Geloof jij echt dat God een mens kan vergeven als je zelfmoord pleegt terwijl je gelovig bent zoals mijn moeder?'

'Wij kunnen daar niet over oordelen en we moeten het overgeven aan God de Almachtige.'

Francien droogt haar tranen en gaat rechtop zitten in het bed.

'Gaat het nu al wat beter?'

Francien knikt.

De deur gaat open en er komt een arts binnen en een verpleegkundige met een rolstoel.

'Je mag even bij je moeder kijken, je mag niet tegen haar praten, kun je ons dat beloven?' vraagt de arts.

Francien gaat in de rolstoel zitten en Ernst rijdt haar over de gang. De arts stopt voor een deur en opent die. Ernst rijdt haar naar binnen. Ze zien Ria liggen met een spierwit gezicht alsof het een lijk is. Ze is aan wat apparatuur aangesloten. Francien schrikt en houdt haar hand voor haar mond en snikt zachtjes: 'Mama, lieve mama, o mama, waarom?'

De arts geeft een teken dat ze de kamer moeten verlaten.

16

Een week later, als Ria lichamelijk weer genezen is, maar het geestelijk nog niet wil, hebben Francien en Ernst met de arts gesproken. Ze horen dan dat Ria opgenomen wordt op een psychiatrische afdeling. Francien is erg overstuur. Ernst, die bij haar is gebleven, ondersteunt haar.

'Waarom ga je niet naar huis,' valt Francien dan ineens uit.

'Wil je dan alleen blijven in dit grote huis?'

'Ben je bang dat ik mijzelf ook wat aandoe zoals mijn moeder?' vraagt ze wat overstuur.

'Nee, dat niet.'

'Ga dan naar die moeder van je die met mijn vader in bed kruipt!' schreeuwt ze dan.

'Rustig, Francien, ik wil je geen pijn doen.'

'Het is allemaal haar schuld.'

'Zo mag je het niet zien.'

'Zo zie ik het wel. Ze heeft mijn vader ingepakt om onze firma op te kopen met hem erbij.'

'Daar moet jij je niet zo druk om maken, Francien.'

'Waarom kwam je dan hierheen? Je hebt mijn moeder overstuur gemaakt. Ze is nu een wrak.'

'Waarom geef je mij nu de schuld?'

'Jou en je moeder!' schreeuwt Francien overstuur.

'Nee, Francien.'

'Wat zoek je dan hier bij mij?'

'Jou,' antwoordt Ernst verdrietig.

'Mij?'

'Ja, Francien.'

'Wat wil je daarmee zeggen?'

'Dat weet je heel goed.'

'Nee, Ernst, de zoon van een moeder die mijn vader inpikt en mijn moeder bijna in het graf heeft geholpen, kan ik niet liefhebben.'

Ernst gaat in de woonkamer op de bank zitten en laat zijn hoofd zakken. Dan kijkt hij even later Francien door zijn tranen aan en snikt: 'Francien, Francien, ik heb ook een gevoel.'

'Het kan niet, Ernst, echt niet.'

Ernst is nu ook zelf aan het eind van zijn geestelijke kracht.

Francien, die merkt dat Ernst het moeilijk heeft gaat naast hem zitten en geeft hem haar zakdoek.

'Wat een ellende allemaal en dat allemaal door jouw moeder. Ik wil dat mens wel eens recht in de ogen kijken,' zegt Francien terwijl ze voor zich uit kijkt. Ernst kijkt haar van opzij aan en zegt: 'Francien, dat kan.'

'Je bedoelt dat je mij meeneemt naar Duitsland, naar je moeder?'

'Wil je dat?'

Francien haalt haar schouders op.

'Je vader heeft erom gevraagd.'

'Daar weet ik niks van, wat heeft mijn vader gevraagd?'

'Of je samen met mij mee naar Duitsland wilde komen.'

'Waarom vraagt hij dat niet aan mij?'

'Jij wilde je vader niet meer ontmoeten toen hij bij je moeder op bezoek kwam in het ziekenhuis.'

'Vind je dat gek?'

'Nee.'

'Hij heeft het leven van mijn moeder kapotgemaakt, waarom houdt hij niet meer van mijn moeder? Wat heeft die moeder van jou meer dan mijn moeder!' schreeuwt Francien.

'Rustig nou, Francien.'

'Jij met je rustig, je bent zelf overstuur.'

'Het gaat wel weer,' antwoordt Ernst terwijl hij zijn gezicht afveegt.

'Ze hebben mijn moeder geestelijk en lichamelijk kapotgemaakt. Ze hebben nu hun zin, die twee.'

'Zo mag je het niet zien, Francien.'

'Hoe moet ik het dan zien?' vraagt Francien fel.

'Jouw vader houdt van mijn moeder en zij van jouw vader en daar kunnen wij niks aan doen.'

'Mijn vader is eigenlijk niet zo, jouw moeder heeft hem verleid.'

'Als er liefde in het spel is, dan zijn er altijd twee mensen, Francien.'

'Mooie mensen, vooral die moeder van jou, ze moet mijn vader met rust laten. Waarom moet per se mijn vader het slachtoffer van haar worden? Je hebt ons zelf verteld dat ze een fusie wil met ons bedrijf. Het speelt bij haar alleen om macht in de zakenwereld en mijn vader is daar de dupe van.'

'Zo mag je het niet zien. Jouw vader heeft zelf schuld. Hij is een getrouwde man en heeft een gezin. Hij pleegt overspel. Mijn moeder is weduwe en pleegt geen overspel.'

'Dat kan wel waar zijn, maar ze gaat wel met een getrouwde man en maakt een huwelijk kapot.'

'Ze is verliefd op je vader en wat kunnen kinderen daar aan doen?'

'Mijn moeder? Waarom is mijn moeder zo ver gegaan,' zucht Francien.

'Ze is zwak.'

'Vroeger was ze nooit zo.'

'Ze kan het allemaal niet verwerken.'

'Nee, dat haar man vreemdgaat.'

'Heeft je moeder er nooit iets van gemerkt?'

'Soms denk ik van wel. Ze hadden de laatste tijd veel ruzie, maar dat ging ook vaak om mij. Mijn vader had het meer op mij gemunt. De laatste jaren deed hij net of ik een vreemde voor hem was.'

'Heb je het nooit aan hem gevraagd of gemerkt waarom hij zo tegen jou deed?'

'Nee, als er maar iets hem in de weg zat wat mij betreft, dan was hij woest en vooral als ik wel eens laat thuiskwam. Hij heeft mij zelfs een keer de deur uit gezet.'

'Liet je moeder nooit merken waarom je vader zo tegen jou was?'

'Zij hielp mij altijd en praatte het altijd weer goed.'

'Zou ze dan toch geweten hebben van die verhouding met mijn moeder?'

'Het zou kunnen. Maar toen je naar ons kwam en ons vertelde over die fusie en dat mijn vader niet alleen samen met je moeder werkte, toen is het te veel voor haar geworden en heeft ze ...'

Francien laat haar tranen gaan terwijl ze haar vuisten in onmacht samenknijpt.

'Rustig maar, Francien, ik zal altijd naast je staan,' troost Ernst haar terwijl hij zijn arm om haar schouder legt.

Francien heft haar hoofd op. Ze veegt haar tranen weg met de rug van haar hand en zegt: 'Ik vertrouw niemand meer.'

'Mij toch wel?'

'Dat weet ik niet.'

'Maar Francien, ik ...'

'Nee, Ernst.'

'Kun je dan niet van mij houden?'

'Nee.'

'Waarom niet?'

'Dat heb ik toch gezegd.'

'Je bedoelt, omdat mijn moeder met je vader gaat?'

'Nee, niet dat alleen, mensen zijn in de liefde niet te vertrouwen.'

'Dat mag je niet zeggen, Francien. Er zijn mensen die wel vijftig jaar of nog langer met elkaar getrouwd zijn en elkaar altijd trouw zijn gebleven.'

'Dat zijn maar uitzonderingen.'

'Zo mag je het niet zien. Als mannen of vrouwen hun geliefde verkeerd behandelen, dan mag je niet de hele wereld de schuld geven.'

'Noem jij dat verkeerd behandelen?'

'Nou ja, je weet wat ik bedoel.'

'Heb jij wel eens iemand liefgehad, die er met een ander vandoor ging?'

'Nee, dat niet.'

'Mijn beste vriendin gaat nu met mijn vriend. Hij hield zoveel van mij, maar het was over, alleen omdat hij mij gezien had met jou samen in mijn auto. Dat noemen ze liefde.'

'De liefde van jou en van hem was niet sterk genoeg.'

'Zijn liefde niet, zul je bedoelen.'

'Houd je dan nog van hem?'

Francien geeft geen antwoord en laat een diepe zucht ontglippen.

'Dus je houdt nog steeds van die Simon?'

'Zeur niet zo, man.'

'Je wilt het niet weten, zeg het dan eerlijk.'

'Hoe kan ik nou van iemand houden die er met mijn vriendin vandoor gaat,' antwoordt Francien.

'Toch moet je hem vergeten.'

'Dat deed ik ook,' antwoordt Francien kort.

'Als dat waar is, dan praat je er niet meer over.'

'Heb je daar last van?'

'Ja.'

'Ben je jaloers?'

'Nou ja, ik houd van je, Francien,' antwoordt Ernst terwijl hij haar aankijkt.

'Maar ...'

'Waarom niet, Francien?'

'Je moet mij er de tijd voor geven, het is nu allemaal zo'n warboel in mijn hoofd.'

'Francien, Francien,' zegt Ernst terwijl hij haar in zijn armen neemt en haar zoent. Francien laat zich zoenen en zoent hem terug terwijl er tranen over haar wangen lopen. Ernst zoent ze weg en zegt: 'Francien, je kunt altijd op mij rekenen. Wij samen kunnen het leven aan. We hebben elkaar nu nodig. Francien, lieverd, je moet nu ook sterk zijn. Probeer mij lief te hebben. Ik kan niet anders, mijn liefde is alleen voor jou.'

Dan gaat Francien weer rechtop zitten, kijkt Ernst aan en vraagt: 'Hoe moet het nu verder? Je kunt niet langer hier bij mij in huis blijven.'

'Waarom niet?'

'Dat wil ik niet, de mensen hier in het dorp praten al genoeg over ons.'

'Je moet je niks van de mensen aantrekken en zeker niet als onze liefde oprecht is en je mij vertrouwt.'

'Ernst, je weet heel goed dat je niet hier bij mij in huis kunt blijven,' houdt Francien vol.

'Wat wil je dan?'

'Dat je naar huis gaat.'

'En jij dan?'

'Ik red mij wel en moet mijn moeder bezoeken hier in het ziekenhuis.'

'Zal ik met je meegaan?'

'Als je dat per se wilt.'

'Voorlopig blijf ik bij je, Francien.'

Francien geeft geen antwoord. Ze staat op en loopt naar de hal om haar jack aan te trekken.

Ernst volgt haar. Ze stappen in de grote Mercedes van Ernst.

Ze rijden even later het grote parkeerterrein van het ziekenhuis op en parkeren de auto in de parkeergarage.

Ernst pakt haar hand vast en zegt: 'Ik ben bij je.'

'Waarom zeg je dat?'

'Je moeder is er slecht aan toe.'

'Dat weet ik.'

'Je bent niet alleen, Francien.'

Francien knikt.

Ze lopen samen naar de afdeling psychiatrie.

Als Francien de kamer van haar moeder opendoet, ziet ze haar moeder aan een tafeltje zitten. Ze loopt naar haar toe.

'Dag ma.'

Ria blijft voor zich uit kijken en geeft geen antwoord.

Francien en Ernst gaan bij haar aan het tafeltje zitten.

Francien legt haar hand op die van haar moeder en vraagt: 'Gaat het, ma?'

Ria kijkt haar dochter aan zonder antwoord te geven.

'Zal ik wat te drinken voor u halen?'

Zonder antwoord te geven blijft Ria haar dochter aankijken en zegt dan met een zachte stem: 'Je bent mijn kind.'

'Ja, ma, natuurlijk, ma,' antwoordt Francien terwijl ze haar tranen niet kan bedwingen.

'Hij is jouw vader niet,' fluistert Ria.

'Nee, ma, hij is ook uw man niet meer, het is zo goed, ma. U moet snel weer beter worden.'

Ria kijkt haar dochter aan en vraagt: 'Heeft hij het je verteld?'

'Wie?'

'Je vader?'

'Nee, ik praat niet meer met hem.'

Ria laat nu haar hoofd hangen en zegt niks meer.

Francien probeert nog wat met haar te praten. Ria blijft naar een punt van de tafel staren.

Francien pakt haar hand en vraagt: 'Zal ik wat voor u meebrengen?'

Ze krijgt geen antwoord. Haar moeder laat geen emoties zien. Ze blijft voor zich uit staren alsof ze er niet zijn.

Francien geeft haar moeder een zoen op haar wang. Ze legt haar hand op haar arm en zegt: 'We komen vanavond weer bij u op bezoek, ma.'

Ria geeft geen teken. Zelfs als ze de kamer uit gaan en naar haar zwaaien bij de deur is er geen teken.

Ze lopen snel naar de garage terug. Ernst, die haar bij de arm vasthoudt, heeft in de gaten dat Francien overstuur is.

Als ze in de auto zitten barst Francien in tranen uit.

Ernst legt zijn arm om haar heen en zegt: 'Geeft niet, hoor, het is erg om je moeder zo te zien.'

'Het is mijn moeder niet meer, ze was vroeger zo anders, ze hebben haar kapotgemaakt.'

'Toch moeten wij nu flink zijn, Francien.'

'Nee, nee, ik wil niet meer.'

'Wat wil je niet meer?'

'Mijn moeder niet meer zien, ik kan er niet meer tegen.'

'Dat begrijp ik. Het is ook verstandig een paar dagen niet te gaan, dan ga je er anders over denken.'

'Denk jij dat wij haar over een paar dagen lachend tegen zullen komen?'

'Nee, dat niet.'

'Wat wil je dan?'

'Dat je zelf eerst wat tot rust komt.'

'En mijn moeder laten kreperen?'

'Ze krijgt daar goede hulp. De artsen en het verplegend personeel zorgen goed voor haar.'

'Als ze maar niet naar een of ander verpleeghuis moet.'

'Ze zal wel een tijdje in het ziekenhuis op die afdeling moeten blijven zolang ze nog wat voor haar kunnen doen.'

'Wat moeten ze aan haar doen?'

'Ze kunnen tegenwoordig veel.'

'Kon ze mijn vader maar vergeten, dan zou het misschien

weer goedkomen, denk jij ook niet?'

'Ze heeft geestelijk een klap gekregen toen ze zekerheid kreeg dat je vader een andere vrouw heeft.'

'Zover ik weet wist mijn moeder het niet. Ze hadden wel een slechte verhouding de laatste tijd. Ze hadden vaak ruzie en daar gebruikten ze vaak ook mijn naam bij.'

'Waar ging het dan over?'

'Dat ik niet bij hen hoorde en hij mij wel een keer de waarheid zou zeggen. Hij dreigde mijn moeder wel vaker.'

'Je moeder zei in het ziekenhuis dat hij je vader niet was.'

'Dat heeft hij mij ook wel eens toegeroepen zoals: "Je bent mijn dochter niet meer," maar dat was meestal als ik verkeerd bezig was.'

'Hoe kan een vader zoiets tegen zijn eigen kind zeggen?'

'Dat is zo erg nog niet. Ik wil mijn moeder niet missen, dit is veel erger, mijn vader kan ik missen. Hij deugt gewoon niet.'

Als ze de oprit oprijden, schrikken ze alle twee.

'Nee hè.'

'Dat is de auto van je vader.'

'Wat moet die hier?'

'Het is zijn eigen huis,' antwoordt Ernst.

'Hij zal toch niet weer naar huis komen? Ik wil die kerel niet meer zien, ik zie in hem mijn vader niet meer.'

'Rustig nou maar. Laat alles maar aan mij over.'

'Nee, ik zal hem eens!' valt Francien kwaad uit.

'Nee, Francien, jij blijft hier in de auto zitten. Ik ga eerst met je vader praten en kom dan weer bij je terug.'

Francien knikt.

Ernst schrikt als hij ook zijn moeder in een stoel in de kamer ziet zitten.

'U hier?'

'Zo, daar is mijn verloren zoon,' zegt Gerda terwijl ze opstaat en haar zoon een zoen wil geven.

'Waar is Francien?' vraagt Vincent.

'In de auto, ze is erg geschrokken toen ze uw auto zag staan.'

'Waarvoor moet zij schrikken?'

'Wij komen net terug van uw vrouw uit het ziekenhuis. Het gaat niet goed met haar.'

'Heb ik daar schuld aan?' zegt Vincent terwijl hij naar de voordeur wil lopen.

'Even rustig blijven, gaat u even zitten,' zegt Ernst terwijl hij Vincent tegenhoudt en met hem terug naar de kamer loopt.

Vincent gaat weer zitten, kijkt Ernst aan en vraagt: 'Wat hebben jullie twee met elkaar?'

'Ik houd van uw dochter.'

'Zij is mijn dochter niet meer,' antwoordt Vincent kort.

'Wat heeft u tegen Francien, wat heeft zij u misdaan?'

'Dat gaat jou niet aan, dat kun je beter aan haar moeder vragen.'

'Dat gaat helaas niet meer.'

'Waarom niet?'

'Ze is helemaal apathisch.'

'Dat is ze altijd geweest, ik had nooit met haar moeten trouwen.'

'Daar bent u dan wel laat mee.'

'Zij heeft mij gedwongen.' Verder komt Vincent niet. Hij loopt opnieuw naar de hal en wil de voordeur openen. Ernst trekt hem terug aan zijn arm.

'Wil jij mij hier in mijn eigen huis tegen houden?'

'Nee, laat mij erdoor! Ik wil niks meer met jullie te maken hebben!' schreeuwt Ernst, zodat ook zijn moeder het kan horen. Dan loopt hij langs Vincent de voordeur uit en gooit de voordeur achter zich dicht. Hij rent naar zijn auto waar Francien in zit. Hij gaat achter het stuur zitten, start de motor van de auto, rijdt achteruit de inrit af en draait de auto naar de openbare weg.

Francien ziet haar vader met de moeder van Ernst voor een van de ramen staan.

Ze houdt haar handen voor haar gezicht en snikt: 'Is het al zover dat ze de plaats van mijn moeder heeft ingenomen?'

'Rustig maar, Francien, wij hebben die twee niet meer nodig. Nu ga ik voor jou zorgen.'

Francien reageert niet, maar er gaat een scherp mes door haar ziel wanneer ze die vrouw ziet op de plaats van haar moeder.

'Breng mij maar terug naar het ziekenhuis, Ernst. Ik wil nu liever bij mijn moeder zijn. Zij heeft mij meer nodig dan wie dan ook. Ik wil nadenken en even verder niemand zien of spreken. Ook jou niet.'

17

In een klein dorp, waar ieder elkaar kent, is al snel bekend dat de vrouw van de grote zakenman Vincent Milder in een ziekenhuis ligt op de psychiatrische afdeling, dat haar man met een Duitse vrouw in het grote landhuis woont en dat de zoon omgang heeft met Francien.

Ook op de boerderij bij Simon wordt erover gesproken.

'Weet jij van Franciens ouders?' vraagt de boerin aan Simon.

'Wat moet ik daarover weten?'

'Dat haar vader met een Duitse vrouw in het landhuis woont.'

Simon knikt alleen.

'Haar moeder zit op de psychiatrische afdeling in het ziekenhuis. Ze wilde zich van het leven beroven. Het is toch wel erg als je zo ver heen bent,' zegt zijn vader.

Simon neemt een slok koffie en wil opstaan om aan het werk te gaan.

'Ontmoet jij Francien nog wel eens?' vraagt zijn moeder dan.

'Nee,' antwoordt Simon kort.

'Ga je nog steeds met Rianna, de dochter van de garagehouder?'

'Nee.'

'Wist jij dat Francien hier is geweest toen jij naar de garage was?'

'Nee, dat weet ik niet, maar wat heb ik daarmee te maken? Ze heeft een vriend.'

'Je bedoelt die Duitse jongen, de zoon van die vrouw.'

'Ja.'

'Toch heb ik medelijden met dat kind.'

'Waarom?'

'Haar moeder in het ziekenhuis omdat haar man met een ander gaat en nu in dat grote huis zit met die vrouw. Ze heeft al zo'n moeilijk leven achter de rug,' zegt de boerin. Simon gaat weer zitten en vraagt: 'Wat is er met haar moeder gebeurd vroeger? Jullie doen daar zo geheimzinnig over.'

'Haar vader is vroeg gestorven. Ze was nog jong. Haar moeder is hertrouwd met een vreselijke kerel. Het verhaal ging dat hij haar dochter misbruikte.'

'U bedoelt Ria?'

'Ja.'

'Dat waren zeker praatjes?'

'Zekerheid is er nooit geweest. Ria kreeg verkering met Vincent Milder, de zoon van de rijke zakenman. Ze moesten trouwen. Ria was zwanger en de mensen vertelden dat het van haar stiefvader was, maar Ria trouwde snel met Vincent Milder. Zo dacht iedereen dat het toch wel van haar vriend Vincent Milder was en zo was het praatje weer net zo snel uit de wereld als het erin gekomen was. Toch zijn er mensen die de waarheid weten en nu ben ik bang dat moeder en dochter er de dupe van zijn,' zegt de moeder van Simon.

'Nu zit de vader van Francien met dat Duitse mens in dat grote landhuis en hebben ze haar opgeborgen in een psychiatrische afdeling in het ziekenhuis.'

'Ja jongen, die moeder van Francien heeft veel meegemaakt toen haar moeder hertrouwde met die vreselijke kerel. Ze had geluk dat Vincent Milder, de zoon van die rijke zakenman waar ze verkering mee had, met haar wilde trouwen.'

'Maar dat kind, ik bedoel dat ze zwanger was, dat kan toch ook van haar vriend geweest zijn?'

'De waarheid verhaalt zichzelf wel. Ze wilde niet voor niks een einde aan haar leven maken. Nu is ze opgenomen op de psychiatrische afdeling in het ziekenhuis, terwijl die man van haar met die vrouw in dat landhuis zit,' zegt zijn moeder.

'Dus Francien is ...?'

'Ze weet niet wie haar vader is, denk ik, of haar moeder moet het haar verteld hebben.'

'Jullie moeten die praatjes van vroeger niet geloven,' zegt Simon kort.

'Waarom wilde jij niet meer met die Francien gaan?' vraagt zijn moeder.

'Ze gaat toch met die Duitser? Die past beter bij haar en haar vader gaat met zijn moeder. Leuk toch,' antwoordt Simon kort.

'Je weet niet wat je zegt.'

'Waarom niet?'

'Dat kind kan er niks aan doen dat ze een kind van een andere man is,' houdt de boerin vol.

'Allemaal kletspraatjes.'

'Francien is hier om jou geweest en jij liet haar in de steek, zij en haar moeder hebben het moeilijk.'

'Ze zal de waarheid wel weten. Ze gaat met de zoon van die Duitse vrouw waar haar vader mee samenwoont.'

'Of Francien daar zo gelukkig mee is, dat betwijfel ik,' zegt de boerin.

'Ze gingen al samen toen die moeder van die Ernst nog niet hier was,' houdt Simon vol.

'Toch kwam ze hier naar jou toe en vroeg waar je was. Simon, dat kind houdt van jou en verdient beter.'

'Dan had ze wijzer moeten zijn en niet naar die vent moeten gaan.'

'Simon heeft gelijk,' zegt zijn vader dan.

Simon staat op en gaat naar buiten naar een van de stallen. Hij wil wat voer aan een van de dieren geven. Hij gooit de voerbak van zich af en gaat op een baal stro zitten, verbergt zijn gezicht in zijn handen en laat zich gaan. Als hij even later zijn gezicht afveegt en opnieuw wil gaan voeren, voelt hij een sterk verlangen naar Francien in zijn hart. Waarom heeft hij zo'n stijve kop? Hij heeft haar laten gaan. Ze kwam bij hem om vergeving vragen en ze had niks met die Ernst, vertelde zij hem. Het was een zakenvriend van haar vader. Is het niet zijn eigen schuld? Heeft hij nu niet zelf haar in de armen gedreven van die Ernst? Het is nu allemaal te laat en Francien heeft nu wel wat anders aan haar hoofd met haar moeder en zo. Die vent is nog steeds bij haar, piekert Simon.

Simon heeft geen rust, het is alsof er een wond opnieuw in zijn hart wordt opengescheurd. Toen zijn ouders over het verleden van haar moeder vertelden, zei dat hem niks. Het is vaak veel rook en geen vuur. En ook al zou het waar zijn dat Francien een andere vader heeft, de vader die ze nu heeft is ook geen lieverdje nu hij zijn vrouw laat zitten en samenwoont met een andere vrouw. Die kerel deugt ook niet. Als een mens een einde aan zijn leven wil maken, zoals die moeder van Francien, dan is er wel wat aan de hand. Zou die vader er soms nu pas achter zijn gekomen dat Francien zijn dochter niet is en zou hij haar daarom toen die avond uit huis hebben gezet? Wie weet wat voor ellende een man in de wereld kan brengen zoals die stiefvader van Ria. Als het allemaal waar is, dan heeft Francien het ook niet makkelijk. Zou ze het weten, of zou haar vader het haar verteld hebben? Weet ze waarom haar moeder niet meer wilde leven? Als hij nu eens ... Nee het is te laat, of wil hij niet de minste zijn? Wil hij niet weten dat hij van haar houdt en nog steeds naar haar verlangt? Anders was hij niet zo in de war. Ze is eigenlijk nooit uit zijn hart geweest. Hij ging een paar weken met Rianna, de vriendin van

Francien, maar hij kon niet van haar houden, steeds was er het verlangen naar Francien. Hij kan niet van een ander houden en zal nu de minste moeten zijn. Als het niet te laat is en zij verliefd is geworden op die Ernst, piekert Simon.

'Wat is er met jou aan de hand?' vraagt zijn vader als hij zijn zoon ziet staan.

'O, niks.'

'Voel jij je wel goed?'

'Ik moet nog even naar het dorp,' antwoordt Simon.

'Ga dan ook even langs de huisarts,' lacht zijn vader.

Simon geeft geen antwoord, loopt naar binnen en zegt tegen zijn moeder dat hij even naar het dorp gaat.

Simon stapt in zijn auto en rijdt het erf af. Hij rijdt naar de rand van het bos waar hij het grote landhuis ziet staan, omgeven door een prachtige tuin met een grote vijver.

Hij parkeert zijn auto op een zijpaadje van het landgoed en sluipt door de struiken wat dichter naar het landhuis. Hij ziet alleen een grote Mercedes staan. De kleine auto van Francien staat er niet. Die zal wel in de garage staan of ze is er mee weg.

Als hij zo een tijdje tussen de struiken zit en niks bijzonders ziet, staat hij op en loopt terug naar zijn auto. Hij blijft even in zijn auto zitten en piekert hoe hij Francien kan ontmoeten. Hij kan toch niet zomaar aanbellen en naar haar vragen? Zeker nu niet in deze situatie waar zich van alles achter de muren van dat landhuis afspeelt. Zou Francien dan die vrouw aanvaarden? Dat zal wel, want ze gaat met haar zoon, en haar vader gaat met zijn moeder.

Simon start de motor van zijn auto en rijdt het zijpaadje uit. Waar moet hij heen … Als hij haar nu eens met zijn mobieltje belt. Hij heeft haar mobiele nummer nog, hij kent het wel uit zijn hoofd, maar wat moet hij zeggen? Ze zal denken dat hij medelijden met haar heeft in verband met haar moeder en zo.

Simon heeft zijn mobieltje al in zijn hand en toetst het nummer in.

'Ja, hallo, met Francien.'

'Met mij.'

'Ben jij het?'

'Ja.'

'Waarom bel je mij, Simon?'

'Kan ik met je praten?'

'Waarover?'

'Over ... nou ja, over ons?'

'Wat wil je van mij?' vraagt Francien ineens kort.

'Kan ik met je praten, ben je alleen?'

'Nee.'

'Wie is er bij je?'

'Ernst, mijn vriend.'

'O sorry.' Dan drukt Simon zijn mobieltje uit.

Simon slaakt een diepe zucht. Zie je nou wel, ze gaat nog steeds met die Ernst. Het is te laat, hij had het kunnen weten.

Hij rijdt terug naar de boerderij.

'Ben je nu alweer terug en wat zei de arts?' lacht zijn vader.

'Doe gewoon,' antwoordt Simon kort.

Hij gaat naar binnen.

'Al terug, wil je nog koffie?'

Simon knikt en gaat aan de grote keukentafel zitten.

'Waar ben je geweest, jongen?'

Simon haalt zijn schouders op.

'Je ging toch naar het dorp?'

'Ja.'

'Heb je iemand ontmoet?'

'Nee, waarom?'

'Je bent zo afwezig.'

'Laat mij met rust.'

'Heb je Francien soms ontmoet?'

'Nee, hoezo?'

'Het zou kunnen, ze heeft het al zo moeilijk.'

'Ze heeft toch een vriend.'

'Weet je dat wel zeker? Ze is ook vaak bij haar moeder in het ziekenhuis, hoorde ik vertellen.

'Zal wel.'

'Dan zal die vent er ook wel bij zijn.'

'Zou kunnen.'

'Heb jij wat tegen die jongen?'

'Hij deugt niet.'

'Omdat zijn moeder met Francien haar vader gaat?'

'Dat niet alleen.'

'Hij is verliefd op Francien en dat staat jou niet aan?'

'Francien zal wel gek op hem zijn,' antwoordt Simon kort.

'Dat is je eigen schuld. Ze heeft je om vergeving gevraagd, maar jij hebt een harde boerenkop,' antwoordt zijn moeder.

Simon gaat weer naar buiten. Hij gaat naar een van de loodsen en wil opnieuw gaan voeren. Dan gaat zijn mobieltje af.

'Ja?'

'Met Francien.'

'O.'

'Sorry dat ik wat kort was, maar je begrijpt wel dat Ernst bij mij was en ik dan niet zo makkelijk kan praten.'

'Wat moet hij bij jou?' vraagt Simon kort.

'Wat wil je van mij, Simon?'

'Praten.'

'Waarover,' zegt Francien.

'Nou ja.'

'Over ons?'

'Ja.'

'Oké, ik kom naar het park in de stad, je weet wel waar wij vroeger wel eens op een bank zaten.'

'Goed, is die Ernst nog bij je?'

'Nee, hij is naar het huis van mijn vader.'

'Je vader en die vrouw?'

'Die vrouw is zijn moeder.'

'Kom je niet meer thuis?'

'Laten we daar nu niet meer over praten,' antwoordt Francien.

'Oké, tot zo dan,' antwoordt Simon terwijl hij zijn mobieltje uit drukt.

Simon rent naar binnen en roept tegen zijn moeder: 'Ma, ma, ik ga even naar de stad.'

'In je overall?'

'Nee, ik kleed mij even om.'

'Wat moet jij in de stad doen?'

'Privé, mam.'

'Was het Francien?'

Simon rent naar boven en komt even later netjes aange-kleed naar beneden.

'Zo, meneer gaat uit. Moet ik nog rekening houden met het eten?'

'Dat ziet u zelf maar,' en weg is Simon.

Hij springt in zijn auto.

'Waar moet je nu weer heen?' vraagt zijn vader.

'Naar die arts,' plaagt Simon terug terwijl hij de motor van zijn auto start en het erf afrijdt.

'En mij hier alleen laten ploeteren,' moppert zijn vader.

Simon rijdt langs het kanaal de randweg op naar de stad. Dicht bij de stad parkeert hij zijn auto en loopt naar het grote stadsplantsoen, naar de plaats waar ze vroeger vaak op een bankje zaten als Francien uit school kwam en hij van de landbouwhogeschool kwam.

Als hij in de verte het bankje ziet dicht bij een grote dikke boom, ziet hij geen Francien op het bankje zitten. Hij gaat op het bankje zitten en kijkt om zich heen.

Als hij al een kwartier op het bankje zit en gaat twijfelen, ziet hij in de verte Francien aankomen met haar lange blonde haar. Hij kent dat figuurtje uit duizenden. Er gaat een warm gevoel door zijn lichaam.

Als zij dicht bij hem is, staat hij op en zegt: 'Hoi.'

'Hè, dat was rennen.'

'Ben je niet met de auto?'

'Nee.'

'Waarom niet?'

'Die staat nog thuis in de garage en daar kom ik niet meer.'

'O, en die Ernst?'

'Die is er wel heen gegaan.'

'Waar kom je nu dan vandaan?'

'Van mijn moeder,' antwoordt Francien terwijl ze gaat zitten.

'Ben je naar het ziekenhuis geweest? Hoe is het met je moeder?'

Francien vertelt dat Ernst haar daar heeft gebracht, meer niet en schudt alleen haar hoofd ten teken dat het niet goed gaat.

'Erg voor je.'

'Met mij hoef je geen medelijden te hebben.'

'Nou ja, het is je moeder.'

'Wil je daarover praten?'

'Nee.'

'Waar dan over?'

'Over ons,' komt er dan verlegen uit.

'Je hebt toch verkering met Rianna?'

'Niet meer.'

'Heeft ze het uitgemaakt?'

'Nee, ik zelf.'

'Heb je een ander?'
'Ja.'
'Wie dan?'
'Jou,' antwoordt Simon terwijl hij haar aankijkt.
'Mij?'
'Ja, als je het nog wilt?'
'Maar je hebt het toch uitgemaakt.'
'Ja, dat wel.'
'Waarom zeg je het dan?'
'Francien ... kun je het mij vergeven?'
'Wat moet ik vergeven?'
'Dat ik zo jaloers was.'

Dan ziet Simon een grote traan over haar wang lopen en ziet een zonnestraal op die traan schijnen tussen de takken van de boom door. De traan die stil blijft liggen op haar wang lijkt nu op een blinkende traan.

Simon trekt haar naar zich toe en zoent haar.

Francien beantwoordt zijn zoenen. Hij kust haar tranen weg.

'Francien, Francien, wat heb ik het moeilijk gehad zonder jou! Ik kan niet meer zonder jou, de hele wereld kan mij gestolen worden als ik jou niet heb.'

'Hoe komt dat zo ineens, je doet het toch niet uit medelijden?'

'Nee, Francien.'

'Waarom heb je zo lang gewacht?'

'Omdat jij met die Ernst ging, ik wilde niet de minste zijn.'

'Dat was ik toch al. Ik ben bij je ouders geweest en heb je gezien met Rianna.'

'O, houd jij wel echt van mij?'

'Ja, en jij?'

'Ik heb altijd van je gehouden.'

'Maar die Ernst dan?'

'Hij was voor mij een soort vriend en heeft mij bijgestaan met al die ellende met mijn ouders.'

'Op die plaats had ik moeten staan! Ik verdien jou eigenlijk niet meer, wil je mij nog een kans geven, Francien?'

Opnieuw zijn er blinkende tranen die over haar wangen lopen en door de zon beschenen worden door de takken van de bomen. Dan zijn er geen woorden meer en omarmen ze elkaar en zoent Simon haar blinkende tranen weg.

Als ze later in de auto van Simon stappen, rijden ze naar de boerderij waar Francien hartelijk wordt ontvangen.

18

Francien woont voorlopig bij Simon op de boerderij. Daar wordt ze vol liefde door zijn ouders behandeld. Zelf heeft ze ook een lieve moeder, maar een vader die de laatste jaren niet echt als een vader voor haar is geweest. Hier voelt zij de liefde tussen moeder en vader echt. Ze voelt het medeleven voor hun zoon en voor elkaar als echtpaar. Francien heeft dat nooit zo ervaren bij haar ouders. Het is op de boerderij zo anders voor haar. Ze heeft ook een eigen kamer gekregen boven in de boerderij. Het is de kamer van Simon en hij slaapt op de zolder van de boerderij. Ze heeft een fijne middag gehad, samen met Simon en zijn ouders. Ze heeft Simon geholpen op de boerderij. Ze kreeg een overall aan van hem en genoot van het boerenleven. Ze kon even al haar verdriet vergeten. Nu ligt ze in een bed dat kraakt. Ze durft zich haast niet te bewegen. Ze slaapt in het bed van Simon en ze hoort allerlei geluiden die ze niet kent. Nu komen er beelden terug: Haar moeder die niet meer wilde leven, een vader die een hekel aan haar heeft, en die een andere vrouw heeft en dan is er Ernst nog, Ernst die van haar houdt, maar zij kan alleen van Simon houden. Ze heeft nu weer vaste grond onder haar voeten. Simon is weer terug in haar leven. Ze heeft iemand die echt van haar houdt. Het is wel een andere liefde dan een liefde van een moeder en vader, maar ze voelt zich veilig door Simons liefde en ze kan haar liefde aan hem teruggeven. Ze mist haar moeder wel erg. Zij was er altijd voor haar als zij zich alleen voelde, maar haar moeder is er nu niet meer voor haar, ze wilde niet meer leven. Waarom? Haar vader heeft een andere vrouw lief. Wist haar moeder dat allang? Haar vader ging vaak weken naar Duitsland. Of is er meer dat haar moeder voor haar verborgen houdt? Heeft het met haar te maken? Waarom werd haar naam vaak genoemd als haar ouders ruzie hadden? Hoorde zij niet vaak haar vader zeggen: Die dochter van je, of: dat kind van jou? Ze is toch ook een kind van haar vader? Maakte haar vader ruzie om haar, ging vader vreemd om haar?

Dan gaat de deur voorzichtig open en is er een stem die fluistert: 'Kun je niet slapen, lieverd?' Ze voelt een hand op haar arm. Dan ziet ze het gezicht van de moeder van Simon.

'Wil je soms nog wat drinken?'

'Nee, waarom?' vraagt Francien verbaasd.

'Heb je het moeilijk?'

'Waarom vraagt u dat?'

'Wij hoorden je gillen vannacht, had je een nare droom?'

Dan herinnert Francien zich dat ze droomde over haar moeder. Ze zag haar moeder in de badkamer liggen met opengesneden polsen en veel bloed.

'Als je wilt praten, Francien?'

'Nee, het was ...' Verder komt Francien niet.

'Geeft niet, kind, je bent hier in goede handen. Wij zorgen voor je. Als je ons nodig hebt, dan moet je het eerlijk zeggen.'

Francien drukt dan haar gezicht in het kussen en huilt.

De boerin gaat met haar hand over haar haren en fluistert: 'Huil maar gerust, het zal je goeddoen.'

Dan draait Francien zich om en vraagt: 'Waarom doet u dit allemaal voor mij?'

'Omdat ik Simons moeder ben en ook een moeder voor jou wil zijn.'

'Maar u kent mij niet goed, ik ben een vreemde voor u.'

'Nee, lieverd, mijn zoon heeft jou lief en ik ben zijn moeder. Ik weet dat jij een moeilijke jeugd hebt gehad en dat je het nog steeds moeilijk hebt.'

Francien gaat rechtop in bed zitten en vraagt: 'Wat weet u van mijn jeugd?'

'Ach, kind, laat het verleden rusten en probeer wat te slapen.'

'Weet u van mijn moeder?'

'Ach, kind, het dorp is klein.'

'Weet u ook van mijn vader?'

'Je moet het laten rusten, grote mensen kunnen domme dingen doen en daar lijden vaak de kinderen onder.'

'Maar mijn moeder ...'

'Jouw moeder is een lieve vrouw.'

'Hoe weet u dat?'

'Ze heeft veel meegemaakt als kind.'

'Wat weet u van haar?'

'Daar mag ik niet over praten, het zal te pijnlijk voor jou zijn. Je kunt er beter met je moeder over praten. Zij kent de waarheid. Wij kennen alleen de verhalen en weten niet wat waar en wat niet waar is. Vertrouw op je moeder, zij is een eerlijke vrouw en moeder voor jou.'

'Hoe kunt u dat weten?'

'Heb ik dan niet gelijk?'

'Moeder was altijd goed voor mij, maar mijn vader, hij ...' Verder komt Francien niet. Ze huilt zachtjes.

De boerin geeft Francien wat te drinken en zegt: 'Hier heb ik een paracetamol voor je, probeer wat te slapen.'

Francien slikt de pil in, en neemt een paar slokken water en gaat met haar hoofd weer op het kussen liggen. Ze laat een zucht ontglippen en zegt met zachte stem: 'Morgen ga ik naar mijn moeder en wil ik alles weten.'

'Je zult nog voorzichtig met je moeder moeten zijn. Ze heeft het nu nog moeilijk, zoals je weet.'

'Toch wil ik met haar praten.'

'Je bent toch al vaak bij haar geweest?'

'Ze is erg afwezig en praat niet veel.'

'Als je moeder weer wat beter is, dan mag ze ook wel bij ons op de boerderij komen.'

'Echt?'

'Ja hoor.'

'Ze zal hier zeker opknappen.'

'Ik weet niet of je moeder hier wel bij ons eenvoudige mensen wil zijn.'

'Mijn vader niet, maar ma is net zoals u,' zegt Francien terwijl ze al wat slaperig wordt.

De boerin kust haar op het voorhoofd en wenst haar welterusten.

's Morgens vroeg wordt Francien wakker door het kraaien van een haan en even later hoort ze stemmen buiten. Ze kijkt om zich heen, er schijnt een lichtstraal door een kier van de gordijnen die niet helemaal sluiten. Waar is ze? Een kleine slaapkamer, nee, ze is niet thuis in die deftige grote slaapkamer van haar.

Ze staat op, kijkt door de kier van het gordijn en ziet Simon op het erf met zijn vader praten. Zijn vader zegt: 'Wacht nog maar even met het starten van die tractor, dat kind zal nog wel slapen.'

Francien trekt snel het gordijn open, opent het raam en roept: 'Ik ben al wakker, hoor!'

'Goedemorgen, Francien, heb je goed geslapen?' roept Simon terug.

'Ja hoor, ga jij maar lekker op je tractor rijden!'

'Dank je, moeder heeft het ontbijt voor je klaarstaan.'

'Oké.'

Francien sluit het raam en wil zich aankleden. Dan gaat de deur open en ziet ze de boerin in de deuropening staan.

'Goed geslapen, Francien?'

'Ja hoor.'

'Wil jij je niet eerst lekker gaan douchen?'

'Heeft u hier ook een douche?'

'Dacht jij dat wij ons nog buiten onder de pomp gingen wassen?' lacht de boerin.

'Nee, dat niet,' antwoordt Francien verlegen.

De boerin wijst haar de badkamer. Francien neemt haar kleren mee en gaat zich douchen.

Even later zit ze aan de ontbijttafel, pakt een sneetje brood en doet er wat hagelslag op.

'Wil je thee of een beker melk?'

'Graag thee.'

'Melk is gezond, hoor, zo van de koe.'

'Nee, liever niet.'

Als Francien een stukje brood in haar mond wil stoppen, vraagt de boerin: 'Bid je niet voor je ontbijt?'

'O ja.'

Als Francien gebeden heeft vraagt de boerin: 'Ga je wel eens naar de kerk?'

'Nee, vroeger ging ik wel met moeder, maar mijn vader kwam eigenlijk nooit.'

'Jammer.'

'Ik geloof wel in de Heere God en lees ook wel eens in de Bijbel op mijn kamer.'

'Dat is fijn, zonder God kun je in dit leven niet verder. Hij bestuurt ons leven.'

'Dat is moeilijk om te geloven,' antwoordt Francien.

'Toch is het zo, kind.'

'Mijn moeder gelooft ook echt, ik heb haar vaak zien bidden als mijn vader niet thuis was en ze heeft mij ook leren bidden.'

'Wat wil je daarmee zeggen?'

'Waarom wilde mijn moeder niet meer leven en waarom moet ze zoveel meemaken?'

'Een mens kan door het leven zo ver gedreven worden dat hij geen uitkomst meer ziet en dan kiezen we vaak de verkeerde weg in plaats dat wij op onze knieën gaan en Hem om hulp vragen.'

'Dat kan mijn moeder niet meer, ze wil niet meer leven. Als ze nou eens gestorven was?'

'Of ze dan verloren zou zij, bedoel je?'

'Ja.'

'Daar kunnen en mogen wij niet over oordelen.'

'Toch is het wel zo, als je jezelf van het leven berooft.'

'De Heere God heeft het laatste Woord en daarom heeft Hij je moeder gered. Hij weet dat ze nog een taak op deze aarde heeft. Ze heeft jou nog, Francien.'

'Zou God dat echt zo doen, zou God echt aan mij en mijn moeder denken?'

'Ja, kind. Hij laat je niet in de steek. Wij laten God vaak in de steek. Hij alleen weet wat goed voor ons is.'

'En mijn vader dan?'

'Zelfs voor je vader zorgt Hij.'

'Nee, dat kan ik niet geloven.'

'Bid jij wel eens voor je vader?'

'Voor mijn moeder wel.'

'Toch wel doen, kind.'

'Dat kan ik niet. Hij is de oorzaak van al de ellende!' antwoordt Francien fel.

'Daar heb je wel gelijk in. Maar wij weten niet waarom je vader zo is geworden. Alles heeft een oorzaak.'

'Nee, mijn vader denkt alleen aan zichzelf en heeft ons leven kapotgemaakt.'

'Dat heeft een oorzaak.'

'Dat is hij zelf. U zou maar eens zo'n man hebben en die dan hier op de boerderij met een andere vrouw zou gaan wonen en u in een klein kamertje in het ziekenhuis,' zegt Francien terwijl ze haar handen voor haar gezicht houdt.

De boerin legt haar hand op Franciens schouder en zegt: 'Je hebt gelijk, ik zou niet weten waar ik het zou moeten zoeken. Maar toch zal ik op mijn knieën moeten en Hem om hulp vragen.'

Francien veegt haar tranen weg, kijkt de boerin aan en zegt: 'Simon heeft een lieve moeder.'

'Ach, kind, jij toch ook?'

'Dat wel, maar ze is nu helemaal overstuur, ze kan geen moeder meer voor mij zijn.'

'Dan ben ik het toch,' antwoordt de boerin terwijl ze Francien een zoen op haar voorhoofd geeft.

'Zullen we de Heere danken en Hem bidden voor de nieuwe dag?'

Francien vouwt haar handen en luistert naar de woorden die de boerin zachtjes bidt en waar haar naam en die van haar moeder in voorkomt, maar ook die van haar vader en zelfs de naam van de vrouw waar hij mee samenwoont. Ze vraagt om vergeving van de zonden en dan klinkt het amen.

'Bidden uw man en Simon ook zo?' vraagt Francien.

'Zij beginnen 's morgens heel vroeg en ontbijten dan ook vroeg en bidden samen.'

'O.'

Francien gaat naar buiten, ze heeft een overall van Simon aan die haar veel te groot is. Ze helpt mee met het voeren van de dieren. Vooral de lammeren vindt ze erg lief. Als ze samen met Simon de loods uit komt rijdt er een grote Mercedes het erf op. Hij stopt voor de deur van de boerderij. Er stapt een jongeman uit. Francien schrikt als ze ziet dat het Ernst is. Hij loopt op hen af en kijkt verbaasd als hij Francien in een overall ziet.

'Wat kom jij hier doen?' vraagt Francien.

'Kan ik je even spreken?' vraagt Ernst wat nerveus.

'Waarover?'

'Dat gaat hem niks aan,' antwoordt Ernst terwijl hij naar Simon knikt.

'Wat Francien aangaat, dat gaat mij ook aan!' antwoordt Simon met een harde stem.

'Met jou heb ik niks te maken!' valt Ernst uit.

'Als jij niet binnen een paar minuten het erf af bent, dan draag ik jou het erf af!'

'Dat zal je niet lukken!'

Simon wil Ernst beetpakken, maar Francien gaat tussen hen in staan en vraagt: 'Wat kom je hier doen, Ernst?'

'Dat weet je heel goed.'

'Wat moet ik weten?'

'Waarom ben je zomaar weggegaan? Je laat mij zomaar in de steek, ik ben goed voor je geweest. Het is niet eerlijk, Francien.'

'Je weet heel goed dat ik niet van je kan houden en dat ik bij Simon hoor.'

'Goed, ik ga samen met mijn moeder terug naar Duitsland.'

'Gelukkig,' zegt Simon met een gemeen lachje op zijn gezicht.

'Bemoei jij je er niet mee!' zegt Ernst.

'Je staat hier op mijn erf. Ik waarschuw jou!' zegt Simon terwijl hij een vinger naar Ernst uitsteekt.

'Gaat mijn vader ook mee?'

'Nee.'

'Waarom niet?'

'Ze kregen ruzie en nu wil mijn moeder naar huis.'

'Waarom kom je ons dat hier vertellen?'

'Het is voor mij ook niet zo leuk als je mij in de steek laat,' antwoordt Ernst.

'Dat had je kunnen weten.'

'Nee, dat wist ik niet.'

'Ernst, je bent goed voor mij en mijn moeder geweest. Je stond aan mijn kant en daar ben ik je dankbaar voor. Maar je weet dat ik alleen van Simon kan houden.'

'Ik wist niet beter dan dat het uit was tussen jullie twee.'

'Oké, ben je uitgepraat?' vraagt Simon wat ongeduldig.

'Nee, je vader vroeg of je gewoon weer naar huis wilde komen.'

'Dat maak ik zelf wel uit.'

'Als ik jou was zou ik het toch maar doen. Je kunt je leven lang niet hier op de boerderij blijven.'

'Dat maakt zij zelf wel uit!' antwoordt Simon.

'Ernst, je kunt nu beter met je moeder naar Duitsland gaan.'

'Zal ik je eerst naar je vader brengen?' vraagt Ernst dan.

'Nee.'

'Waarom niet?'

'Als ik naar mijn vader ga, dan gaat Simon met mij mee.'

'Dat zal je vader niet leuk vinden, jij met een boer. Je weet hoe je vader daarover denkt.'

Dan pakt Simon Ernst bij zijn arm en duwt hem naar zijn auto.

'Niet doen!' roept Francien naar Simon.

Simon laat hem los.

'Ga je mee?' vraagt Ernst opnieuw.

'Nee!'

'Je vader heeft je nodig. Hij ziet het niet meer zitten en wil met je praten.'

'Dat gebeurt op mijn tijd, laat hij maar naar mijn moeder gaan en haar om vergeving vragen,' antwoordt Francien overstuur.

'Dat zal hij ook wel doen, maar hij wil dat ik jou hier weg haal en je bij hem breng.'

'Ik heb niks meer met mijn vader.'

'Maar hij wel met jou.'

'Wat heeft hij met mij, niks toch?'

'Ga nou mee, hij wil je alles uitleggen. Echt, je vader bedoelt het goed.'

'Man, zeur niet en hoepel op!' zegt Simon kwaad.

'Zeg maar tegen mijn vader dat ik mijn kleren wel kom halen en verder niks.'

'Dat zal je dan berouwen, hij heeft mooie plannen met ons samen,' zegt Ernst dan.

'Met jou en mij?'

'Ja, Francien, je weet dat er een fusie komt van onze bedrijven en daar wil hij jou en mij bij betrekken.'

'En je moeder dan?'

'Die zal wel mee moeten omdat ik een contract heb getekend samen met je vader.'

'Dus jullie zijn het samen eens geworden?'

'Ja. Ga je mee, dan kunnen we er samen met je vader over praten?'

'En je moeder zeker, die zal wel achter de schermen bezig zijn,' antwoordt Francien terwijl ze Ernst kwaad aankijkt.

'Mijn moeder zit voorlopig in een hotel in de stad. Die breng ik vandaag naar huis, naar Duitsland.'

'Maak nou maar dat je hier wegkomt!' roept Simon die het te kwaad krijgt en bang is dat deze jongeman met al zijn zakenpraatjes alsnog Francien zal ompraten.

'Francien, we kunnen toch eerst met je vader praten?'

'Nee, Ernst. Zeg maar tegen mijn vader dat ik achter mijn moeder sta en dat ik alleen van Simon kan houden en wat mij betreft kan hij al zijn geld en goederen voor zichzelf houden.'

'Je weet niet wat je zegt, Francien.'

'Dat weet ik heel goed Ernst.'

'Wegwezen jij. Je hebt het gehoord!' zegt Simon terwijl hij Ernst verder naar zijn Mercedes duwt.

Ernst stapt snel in zijn auto en rijdt het erf af terwijl hij zijn vuist opsteekt.

Simon lacht, maar Francien draait haar hoofd om

en zegt: 'Hoe moet het nu verder?'
'Als jij naar je vader gaat, dan ga ik met je mee.'
'Dat is goed, Simon, dank je.' Simon geeft haar een zoen, dan gaan ze naar binnen. De moeder van Simon troost Francien als ze ziet dat ze het moeilijk heeft.

19

'Wil je met mij meegaan, Simon?'
'Naar het ziekenhuis?'
'Ja.'
'Oké, maar dan zal ik mij even omkleden.'
'Dat kan ik niet zeggen.'
'Je ziet er netjes uit in mijn overall,' lacht Simon.
'Dat bedoel ik niet, ik heb geen kleren.'
'Dan ga je toch gewoon in mijn overall en houd ik ook mijn overall aan, leuk toch?'
'Je denkt zeker dat je grappig bent.'
Simon pakt Francien beet en kijkt om zich heen. Hij drukt haar tegen zich aan, zoent haar en zegt: 'Het maakt niet uit wat voor kleren jij aanhebt. Jij bent het mooiste meisje van de hele wereld.'
'Ik draag mijn jurk al net zo lang als ik bij jullie ben en het wordt tijd dat ik wat anders aan kan trekken, daar hebben mannen geen verstand van.'
'Dan gaan we eerst naar jouw huis om wat kleren te halen.'
'Nee, ik wil mijn vader voorlopig niet zien.'
'Als ik dan aan je vader ga vragen of hij je kleren aan mij wil geven?'
'Nee.'
'Dan kunnen we toch eerst wat kleren gaan kopen in de stad?'
'Nee, ik ga eerst naar het ziekenhuis naar mijn moeder, dan kunnen we altijd nog naar de stad gaan.'
'Oké, eerst onze overalls uit en ons netjes aankleden,' lacht Simon.

Als Francien haar jurk en jack aanheeft en ook Simon zich netjes heeft gekleed, stappen ze in de auto en rijden het erf af.

'Wat ben je stil?'

'Het is allemaal zo moeilijk, mijn moeder zal jou niet kennen. Ze weet wel dat ik veel om je geef. Je mocht nooit bij ons thuiskomen van mijn vader.'

'Je vertelde dat je vader jou plaagde met "boer zoekt vrouw", maar hij begrijpt niet dat een boer ook eerst de ware moet tegenkomen en dat ben jij. Jij bent voor mij bestemd. Ik zocht geen vrouw, maar mijn geliefde,' antwoordt Simon.

'Jij kunt het altijd zo mooi zeggen.'

'Zelfs als een boer verliefd is, kan hij romantisch zijn met zijn woorden en daden,' zegt Simon terwijl hij Francien van opzij aankijkt.

'Je bent lief, Simon.'

'Zelfs standverschil kan liefde niet tegenhouden en dat heb ik ook moeten overwinnen.'

'Wat wil je daarmee zeggen?'

'Jij een meisje uit een rijke familie en ik een gewone boerenzoon, dat is in het begin best moeilijk, maar onze liefde kent geen standsverschil en dat kan ik vooral merken als je bij ons ook een overall aanhebt op de boerderij,' lacht Simon.

'Je hebt al een aardige boerin van mij gemaakt, vind je niet?'

'Wil je dat dan wel worden, of ga je later bij je vader op kantoor werken?'

'Bij mijn vader in ieder geval niet.'

'Toch ben jij een dochter van een groot zakenman en hebben jullie een groot kantoor in de stad.'

'Daar maak ik mij niet druk om. Mijn vader moet zijn zaak maar verkopen en zorgen dat mijn moeder ook een huis naar haar zin kan kopen.'

'Zal het dan niet meer goed komen tussen je ouders, denk je?'

'Nee, hij heeft mijn moeder zoveel pijn gedaan met die andere vrouw.'

'Zou dat het alleen zijn?'

'Dat weet ik niet, mijn moeder was al zwak voor hij met die vrouw ging.'

'Wat kan een mens toch ver gaan.'

'Je bedoelt mijn moeder?'

'Ja, het moet voor jou verschrikkelijk geweest zijn toen jij je moeder vond bij jullie in de badkamer met haar polsen gesneden.'

'Dat was erg, Simon, maar dat ze nu geestelijk helemaal in de war is, dat is ook erg. Ze is zo stil, zo vreemd stil,' zegt Francien terwijl ze haar neus snuit.

Simon pakt haar hand.

'Let je wel op het verkeer,' zegt Francien, als ze merkt dat hij bijna van de weg raakt.

Ze rijden de garage van het ziekenhuis in. Simon pakt een parkeerkaart uit de automaat en parkeert zijn auto.

Ze lopen samen hand in hand het ziekenhuis in.

'We moeten met de lift. Ze ligt op de tweede verdieping.'

'Oké.'

'Jij altijd met je oké, is dat een stopwoord van je geworden?'

'Jij gebruikt het ook vaak en vooral als jij iemand niet verstaat zeg je vaak: sorry?' lacht Simon.

Als ze op de tweede verdieping komen met de lift en op de psychiatrische afdeling komen, dan is Francien stil en kijkt ze moeilijk. Ze lopen nog hand in hand. Simon voelt dat haar hand nat is geworden en vraagt: 'Ben je nerveus?'

'Ja.'

'Ik ben toch bij je.'

'Ze is zo ...'

'Je bedoelt dat het moeilijk voor je is om je moeder te ontmoeten?'

'De laatste keer was ze zo vreemd.'

'Dat kan ook komen door de medicijnen die ze krijgt.'

'Nee, mijn moeder is helemaal apathisch, ze leeft niet echt meer na die ...'

'Stil maar ... ik begrijp het wel. Misschien valt het wel mee en kunnen wij goed met haar praten.'

'Reken daar maar niet op.'

'Je weet het nooit. Je moet nu flink zijn,' zegt Simon terwijl hij haar in haar hand knijpt.

Als ze dicht bij de deur zijn waar haar moeder ligt, blijft Francien stilstaan.

'Durf je niet verder?'

Francien geeft geen antwoord.

Simon doet de deur van de kamer open en laat Francien voorgaan.

Als ze in het kamertje zijn, zien ze een leeg bed.

'Ze is er niet,' zegt Francien terwijl ze om zich heen kijkt.

'Weet je wel zeker dat dit haar kamer is?'

'Ja, ook haar kleren en spullen zijn weg,' antwoordt Francien.

'Dan is ze vast overgeplaatst naar een andere kamer,' zegt Simon.

'Als er maar niets ergs is gebeurd,' zegt Francien nerveus.

'Dan hadden ze wel gebeld of zo.'

Francien geeft geen antwoord.

Ze gaan de kamer uit en lopen naar het kantoor waar een paar verpleegkundigen zitten.

'Waar ligt mijn moeder?' vraagt Francien aan een van de verpleegkundigen.

'U bedoelt mevrouw Milder?'

'Ja?'

'Die is vanmorgen naar huis gegaan.'

'Wie heeft haar dan opgehaald?'

'Ze wilde niet langer blijven. We hebben haar een brief laten tekenen, dat ze uit eigen beweging bij ons is weggegaan.'

'Ze kon toch alleen hier niet weg?' zegt Francien verbaasd.

'Daar heeft u gelijk in, maar het is hier geen gevangenis. Ze heeft geen misdrijf gepleegd. Wij mochten haar hier niet vasthouden. We hebben haar dan ook een ontslagbrief laten ondertekenen. De arts heeft ook nog met haar gesproken, maar ze wilde per se naar huis.'

'Ging ze alleen?'

'Ja. We hebben een taxi voor haar gebeld.'

'Weet u waar ze heen ging?'

'Ze ging naar huis.'

'Dus ze is naar mijn vader?'

'Het zou kunnen. Heeft ze u dan niet gebeld?' vraagt de verpleegkundige.

'Nee, ze kent mijn mobiel nummer wel.'

'Dan zal ze wel thuis zijn. Ze had het steeds over naar huis gaan. Verder weten wij ook niet waar ze heen wilde. We hebben haar steeds gevraagd of we iemand voor haar moesten bellen, want we hebben het nummer van jullie, maar dat wilde ze niet,' legt de verpleegkundige uit.

'Dan zal ze wel naar huis, naar mijn vader zijn,' zegt Francien wat overstuur.

Simon pakt haar bij haar arm en zegt: 'Kom, dan gaan we bij jullie thuis kijken, daar zal ze wel zijn, maak je nou niet ongerust.'

'Als ze maar geen verkeerde dingen gaat doen,' antwoordt Francien.

'Het zal wel meevallen,' zegt Simon die haar stevig bij haar arm vasthoudt.

Francien ziet bleek en steunt op Simon als ze het ziekenhuis uit lopen naar de garage en in de auto stappen.

Ze rijden de parkeergarage uit. Als ze op de randweg rijden richting het dorp, rijdt Simon de weg in die naar het landhuis van haar ouders leidt.

'Durf je wel naar mijn vader te gaan?' vraagt Francien nerveus.

'Waarom zou ik niet durven, het gaat toch om jou en je moeder?'

'Maar je bent nog nooit bij ons geweest en mijn vader laat je vast niet binnen.'

'Als jouw moeder daar is, dan ga ik met jou mee naar binnen. Zit over mij maar niet in,' antwoordt Simon, die merkt dat Francien het moeilijk heeft.

'Wat vreemd dat ma ineens naar huis wilde.'

'Zou ze dan toch terug naar je vader willen?' vraagt Simon.

'Het zou kunnen, misschien heeft hij haar wel gebeld en om vergeving gevraagd. De moeder van Ernst is weg.'

'Het zou goed zijn,' zegt Simon.

'Mijn vader zal nooit om vergeving vragen,' antwoordt Francien.

'Hij heeft misschien gevraagd of ze naar huis wilde komen.'

'Nee.'

'Waarom niet?'

'Dan had hij haar opgehaald uit het ziekenhuis en volgens die verpleegkundige moesten ze een taxi voor haar bellen.'

'Daar heb je gelijk in.'

'Als ze maar geen vreemde dingen gaat doen,' zegt Francien met een zachte stem.

Ze rijden de oprit van het grote huis op. Het ligt er verlaten bij. Simon parkeert zijn auto voor de eiken deur van het landhuis en ze stappen uit.

Als ze willen aanbellen vraagt Simon: 'Heb je geen sleutel van jullie huis?'

'Het lijkt mij verstandiger om niet zomaar naar binnen te gaan,' antwoordt Francien.

Als de deur opengaat, staat de vader van Francien voor hen.

'O, ben je toch naar huis gekomen. Wat moet hij bij jou?'

Francien kijkt haar vader recht aan en zegt: 'Dit is Simon, mijn vriend.'

'O ja, dat is waar ook, kom binnen.'

Ze volgen Vincent door de grote marmeren hal en komen in de woonkamer.

Francien kijkt om zich heen en vraagt: 'Is ma er niet?'

'Weet jij dan niet dat ze in het ziekenhuis op de psychiatrische afdeling ligt?'

'Daar heeft ze gelegen,' antwoordt Francien.

'Ze zal er nog wel zijn. Ze is erg in de war, zoals je weet.'

Francien kijkt haar vader aan die geen emotie laat zien. Ze loopt recht op hem af en geeft hem een klap recht in zijn gezicht.

Dan wil Vincent zijn dochter beetpakken, maar dan is daar Simon die hem een harde duw geeft zodat hij achterover valt op een van de banken.

'Blijf zitten jij!' zegt Simon met een dreigende stem.

'Waar is ma?' roept Francien overstuur.

'Nou moet jij eens goed luisteren, meisje!' roept haar vader met een donkere stem.

'Luisteren naar u, nooit!'

'Dan moet je het maar aanhoren, ik heb het je altijd willen vertellen, maar dat deed ik om je moeder niet.'

'Wat wilt u over mijn moeder vertellen? Het zijn altijd leugens geweest. Je hebt ma kapotgemaakt met een andere vrouw. Je hebt haar bijna de dood in gejaagd!'

'Oké, dan zal ik jou ook wat vertellen wie eigenlijk jouw vader is.'

'Vader? Ik heb de laatste jaren nooit een vader gehad en ma heeft nooit een echte man gehad. Zij verdiende niet zo'n man en u zult nooit mijn vader worden!'

'Daar heb je gelijk in,' antwoordt Vincent dan met een wat rustiger stem.

Vincent kijkt hen aan en zegt: 'Gaan jullie eerst zitten.'

'Dat maken wij zelf wel uit,' antwoordt Francien, terwijl ze toch gaat zitten.

'Dus jullie weten zeker dat mijn vrouw niet meer in het ziekenhuis is?'

'Nee, ze wilde naar huis. Ze moest een ontslagbrief tekenen. Heeft ze u niet gebeld?'

'Nee.'

'Waar kan ze dan zijn?'

'Dat moet je mij niet vragen. Ze kan wat mij betreft wel weer naar huis komen.'

'Reken daar maar niet op.'

'Wat wil je daarmee zeggen?'

'Als we ma gevonden hebben, dan gaat ze met mij mee.'

'Waar naartoe?'

'Waar ik nu woon.'

'En dat is?'

'Bij Simon op de boerderij.'

'Dat zal je moeder nooit doen, daar is ze te veel mevrouw voor. Ik zie je moeder al op een boerderij,' lacht Vincent.

'Dan kent u ma niet.'

'Ik jouw moeder niet kennen? Als jij eens wist wie jouw moeder is.'

'De liefste moeder van de hele wereld! Zeg niks verkeerds over haar, anders weet ik niet wat ik u aandoe!' schreeuwt Francien door de kamer.

'Jij hebt het karakter van die kerel,' zegt Vincent dan.

'Wat voor kerel?'

'Jouw echte vader.'

'Ik heb geen vader!' schreeuwt Francien met uitpuilende ogen.

'Dat heb je wel, als je mij niet gelooft, dan vraag je het maar aan je moeder.'

Simon kijkt wat moeilijk, want hij heeft het verhaal van zijn ouders gehoord over het verleden van Franciens moeder. Zou Francien daar dan niks van weten? Hij durfde het haar nooit te vragen. Francien had het al zo moeilijk en wat is er van waar?

'Toen ik verkering kreeg met je moeder was ze in verwachting, dus wij moesten trouwen,' begint Vincent op een wat rustige manier.

'Was dat zo erg?'

'In het begin niet, maar toen wij getrouwd waren en je geboren werd vertelde ze mij dat het mijn kind niet was, maar van haar stiefvader. Die kerel ging met haar naar bed.'

Dan vliegt Francien overeind. Ze krabt haar vader in het gezicht en roept: 'Smerige leugenaar!'

Simon pakt haar beet en houdt haar stevig vast.

Vincent heeft een paar flinke schrammen over zijn gezicht.

'Dat heeft ze van haar vader, die kerel sloeg zijn vrouw.'

'Wist u niet dat ze in verwachting was voor u met uw vrouw trouwde?' vraagt Simon terwijl hij Francien stevig vasthoudt.

'Ik wist wel dat die stiefvader haar misbruikte, maar toen ze mij vertelde dat het kind míjn kind niet was had ik het daar behoorlijk moeilijk mee. Ze heeft mij voor de gek gehouden, om een net woord te gebruiken.'

'Je liegt, vies kereltje!' schreeuwt Francien.

'Het lijkt mij verstandiger hier weg te gaan,' zegt Simon terwijl hij Francien meetrekt de kamer uit.

'Als er wat gebeurd is met mijn moeder, dan kom ik je zelf vermoorden. Reken er op, misbaksel!' schreeuwt Francien overstuur terwijl Simon haar de deur uit duwt naar zijn auto.

Als ze in de auto zitten, start Simon zijn auto en ze rijden weg.

Francien zit te rillen in de auto.

'Rustig nou maar, je moet het je niet zo aantrekken van je vader.'

'Hij is mijn vader niet. Dat heb je toch gehoord.'

'Nou ja, wie spreekt de waarheid,' zegt Simon dan voorzichtig.

'Dus jij gelooft hem ook?'

'Nee.'

'Waarom zeg je dat dan?'

'Wij moeten eerst je moeder zo snel mogelijk zien te vinden. Zij kent de waarheid, Francien.'

'Geloof jij echt dat mijn moeder van een andere man in verwachting was toen ze trouwden?'

'Dat weet ik niet, het is nu belangrijker dat we je moeder zo snel mogelijk vinden. Er kan van alles met haar gebeurd zijn,' antwoordt Simon ernstig.

'Weet jij waar we zoeken moeten?' vraagt Francien overstuur.

'Laten we eerst naar ons huis gaan,' stelt Simon voor.

Francien geeft geen antwoord.

Ze rijden het erf van de boerderij op. Simon helpt Francien de auto uit. Ze gaan naar binnen.

Francien laat zich vallen op een van de keukenstoelen in de woonkeuken. Ze steunt met haar gezicht op haar armen en begint te huilen. Haar hele lichaam beeft. De boerin legt haar arm om haar heen en vraagt aan Simon wat er is gebeurd.

'Haar moeder was niet in het ziekenhuis.'

'Waar is ze nu?'

'We zijn bij haar vader geweest en daar is ze ook niet.'

'Als ze maar geen gekke dingen in haar hoofd haalt,' zegt de boerin, terwijl ze Francien over haar hoofd aait.

'Rustig maar, kind.'

'Ze heeft ruzie met haar vader gehad,' zegt Simon.

Dan richt Francien haar hoofd op en roept: 'Ik heb geen vader!'

'Rustig nou, drink eerst wat, dan ga je naar boven en wat rusten,' zegt de boerin.

'Nee, nee, ik moet eerst mijn moeder gaan zoeken.'

'Waar moet je zoeken? Heeft ze een mobieltje?'

'Nee, dat heeft ze weggedaan in het ziekenhuis.'

'Misschien heeft een verpleegster haar mobieltje weer aan haar gegeven en heeft ze die meegenomen. Weet je het nummer?'

'Ja.' Francien pakt haar mobieltje en toetst het nummer in. Er is alleen wat geruis.

'Nee, ze heeft geen mobieltje meer, die zal wel kapot zijn.'

'Je gaat naar boven en Simon gaat op onderzoek uit,' zegt de boerin.

'Waar wil je dan gaan zoeken?' vraagt Francien.

'Ik ga eerst naar het politiebureau en dan zie ik wel verder,' antwoordt Simon.

'Heeft je moeder geen familie?'

'Nee, mijn opa en oma zijn vroeg gestorven en wij kwamen er bijna nooit, mijn moeder kon niet overweg met haar vader.'

'Heeft ze geen vriendinnen?'

'Ja dat wel, maar de laatste tijd kwam ze daar ook niet meer, het ging steeds slechter met mijn moeder, ze ging nergens meer heen.'

'Dan gaat Simon nu verder zoeken en jij gaat nu eerst wat rusten.'

20

Ria stapt uit de taxi. Het begint al donker te worden. Ze staat voor een blok huizen. Het zijn onbewoonbaar verklaarde woningen. Ze loopt naar het hoekhuis en gaat achterom. De poort van de achtertuin ligt op de grond. Ze loopt er overheen en loopt naar de achterdeur die half in de scharnieren hangt. Ze loopt de keuken in. Er rennen een paar muizen langs haar heen. Dan komt ze in de woonkamer. Het behang hangt in flarden langs de muur. Je kunt hier en daar zien waar de kasten hebben gestaan en de schilderijen hebben gehangen. Hier in dit huis is zij geboren. Hier ligt haar jeugd. Het is stil in het huis. Het zal gesloopt worden. Hier hebben mensen een leven lang geleefd. Hier hoorde zij de stem van haar moeder en vader en daar bij het raam dat nu dichtgetimmerd is stond het bed van haar vader toen hij ernstig ziek was en jong moest sterven. Toen is het begonnen. Na twee jaar kwam die vreemde man bij hen in huis. Ze moest vader tegen hem zeggen. Ria gaat de trap op, de treden kraken. Ze loopt naar haar slaapkamer. Er hangen nog een paar plaatjes aan de muur en er staat nog het oude bed van haar waar ze heel haar jeugd in heeft geslapen. Het is smerig. Ze gaat op de rand van het bed zitten en laat haar hoofd zakken. Er lopen dikke tranen over haar wangen. Ze voelt de angst uit het verleden op haar af komen. Ze hoort het kraken van de treden van de trap. Hij komt naar boven en is in haar slaapkamer. Ze voelt zijn handen die haar betasten en haar op het bed drukken. Ze kan niet gillen. Ze ziet dat gezicht levend voor zich, ze voelt de pijn van haar lichaam. De klap die ze krijgt in haar gezicht als ze weigert wat hij vraagt, de stem die haar waarschuwt als ze het zou vertellen. Ze moet het aanvaarden. Hij is baas over haar lichaam. Het lijkt een leven lang. Die lichamelijke en geestelijke pijn, maar meer die geestelijke kwelling die ze heel haar leven moest dragen.

Ria richt haar hoofd op en veegt haar tranen weg met de rug van haar hand.

Ze leerde Vincent kennen. Ze hielden van elkaar. Ze durfde niet echt lief te hebben. Toch was hij alles voor haar. Ze was eenzaam hier in dit huis. Moeder was anders geworden, stil en huilde veel. Ze durfde niet met haar moeder te praten over dat vreselijke. Toen was ze zwanger, van wie? Ze kon er met niemand over praten. Vincent had haar nooit op die manier aangeraakt. Ze was vaak bang als hij haar tegen zich aan drukte en haar fel zoende, dan rukte zij zich los. Ze kreeg hetzelfde gevoel als wanneer die man haar verkrachtte. Ze vertelde het aan Vincent. Vincent begreep het niet. Hij kwam een paar weken niet meer en toen heeft ze haar moeder verteld dat ze zwanger was. Die wilde dat ze met Vincent moest gaan trouwen, zo snel mogelijk, maar dat wilde zij niet. Dan moest ze het kind maar weg laten halen. Dat wilde ze zelf niet, nee, het was haar kind, ook al was het van die vreselijke man. Ze kon het leven dat in haar leefde niet doden. Toen kwam Vincent bij haar ouders praten en vertelde dat hij met haar zou trouwen. De wereld wist niet anders dan dat het kind van Vincent en haar was. Vincent en zijn ouders hadden medelijden met haar. Ze mocht in dat grote landhuis wonen. Ze is nooit meer thuis geweest. Zelfs niet op de begrafenis van haar ouders. Ze was een kind van Vincents ouders geworden. Zo begon voor haar een nieuw leven. Een leven dat ze nooit eerder gekend heeft. Vincent was een lieve man voor haar. Hij voelde altijd met haar mee. Toen werd Francien geboren. Het leek alsof ze beiden een kind kregen. Vincent nam het als een echte vader in zijn armen en zoende het en zei: Dit kind van jou is ook mijn kind, het is ons kind. Wat waren ze gelukkig met de kleine Francien in dat mooie grote landhuis. De ouders van Vincent zijn helaas vroeg gestorven. Zij bleven in het grote landhuis wonen.

Francien groeide op en ging naar school. Het geluk van Vincent en Ria werd langzaam minder. Vincent wilde een kind dat ook echt zijn kind zou zijn. Zij wilde het niet, geen kinderen meer, ze kon dat niet. Ze kregen ruzie en ook Francien kreeg vaak ruzie met haar vader. Vincent dreigde Ria de waarheid te zeggen. Ze waarschuwde hem dat ze dan bij hem weg zou gaan. Hij zei steeds dat hij haar niet trouw zou blijven als hij geen kind van haar kreeg. Toen was daar die vrouw in Duitsland. Ze wist het, maar kon er niks tegen doen. Vincent had immers haar leven en ook dat van haar dochtertje gered door met haar te trouwen. Hij wilde Franciens vader zijn, welke man zou dat gedaan hebben? Toen kwam die zoon die verliefd werd op haar dochter Francien. Ze was bang dat Francien de waarheid zou horen. Ze wilde die nacht zich van het leven beroven. Het lukte niet. Ze kwam in het ziekenhuis terecht. Francien zocht haar trouw op. Ze kende dus niet de waarheid. Ze moest verder met die leugen leven. Francien had recht op de waarheid. Maar ze had alleen de liefde voor haar eigen kind en als ze haar ook zou kwijtraken … nee, ze kon het niet. Ze vluchtte uit het ziekenhuis en zit hier nu in haar ouderlijke woning, hier in haar slaapkamer op de rand van het bed waar die vreselijke man waar ze vader tegen moest zeggen haar verkrachtte. Hier heeft haar wieg gestaan. Hier was ze als kind gelukkig toen haar vader nog leefde. Ze werd ouder en volwassen toen haar vader er niet meer was en die man de plaats van haar vader innam en ook haar lichaam als zijn eigendom beschouwde.

Ria staat op, loopt de trap af en gaat in de kamer in een hoekje zitten op de grond. Ze valt in slaap van vermoeidheid, zwakte en de emoties die haar overvallen nu ze weer terug is in het verleden.

Francien, die wat uitgerust is op het bed boven in de boerderij, gaat naar beneden. Als ze Simon in de grote kamer ziet zitten aan de tafel vraagt ze: 'Simon, weet je al wat van mijn moeder?'

'Nee, helaas niet.'

'Waar ben je geweest?'

'Op het politiebureau, en ik heb wat rondgereden in het dorp en ben ook nog naar het ziekenhuis geweest.'

'Wisten ze niet waar ze heen kan zijn?'

'Ze weten alleen dat ze met een taxi is vertrokken.'

'Weet je de tijd dat ze het ziekenhuis is uit gegaan met die taxi?'

'Wat wil je daarmee zeggen?'

'In verband met die taxi.'

'Waarom?'

'We moeten erachter zien te komen met welke taxichauffeur ze is vertrokken uit het ziekenhuis. Als die taxichauffeur het zich kan herinneren waar hij haar heeft afgezet,' legt Francien uit.

'Daar heb ik nog niet aan gedacht,' antwoordt Simon.

'Laten we naar dat taxibedrijf gaan.'

'Er zijn veel taxibedrijven,' antwoordt Simon.

'Dan moeten we in het ziekenhuis vragen welk taxibedrijf ze voor haar gebeld hebben.'

'Oké, dan gaan we naar het ziekenhuis om navraag te doen.'

Ze rijden naar het ziekenhuis. Ze vragen aan de balie welk taxibedrijf het is en dan gaan ze naar dat bedrijf en vragen welke chauffeur het was.

Een meisje van het taxibedrijf die alles regelt vertelt hen welke taxichauffeur het was.

'Kunnen wij hem spreken?' vraagt Simon.
'Dat kan, ik zal hem oproepen.'
'Oké, dank u.'
'Hij is over een halfuur hier, dan heeft hij zijn dienst erop zitten.'
'Dan wachten wij wel op hem.'
'Willen jullie koffie?'
'Graag.'
Na ongeveer een halfuur komt de desbetreffende taxi-chauffeur naar hen toe lopen en zegt: 'U wilde mij spreken over een rit vanuit het ziekenhuis?'
'Ja, het betreft mijn moeder.'
'Een vrouw van middelbare leeftijd?'
'Ja.'
'Hier heb ik de lijst en de tijden, dan moet het deze mevrouw geweest zijn. Ze was nogal stil en nerveus, maar dat zijn de meeste mensen die uit het ziekenhuis komen,' legt de taxichauffeur uit.
'Waar heeft u haar afgezet?
'O, wacht, hier heb ik de lijst en de straat waar ze uit-stapte.'
Simon schrijft het op en zegt: 'Dat is bij ons in het dorp.'
'Ja.'
'Weet jij waar dat is?'
'Volgens mij woonden daar vroeger de ouders van mijn moeder, maar die huizen zijn leeg, het zijn slooppanden,' zegt Francien wat verbaasd.
'Oké, dan gaan we daar kijken,' zegt Simon terwijl ze de taxichauffeur bedanken.
Ze stappen snel in de auto en rijden naar de straat. Ze stoppen in de straat voor een blok oude huizen waar de deuren en de ramen aan de voorkant dichtgetimmerd zijn.
Ze stappen uit.
'Daar op die hoek hebben mijn oma en opa gewoond.'

'Dat was ook niet veel bijzonders, in vergelijking met waar je moeder nu woont,' zegt Simon.

'Mijn moeder komt uit een gewoon gezin.'

Ze lopen om de hoek van het huis en lopen over de omgevallen poort achterom. Dan zien ze de keukendeur half open staan. Voorzichtig gaan ze naar binnen. Er rennen een paar muizen weg. Francien slaakt een gilletje.

'Wat een troep!'

Als ze de deur van de woonkamer opendoen is het er al erg donker, en wanneer Francien naar de voorkant van de kamer loopt, ziet ze in de hoek iemand in elkaar gedoken zitten. Ze gaat wat dichterbij en slaakt een gil: 'Ma …?'

Ze gaat op haar knieën voor haar moeder zitten en schudt haar wakker. Ria kijkt haar dochter aan.

Francien omarmt haar moeder en snikt: 'Waarom zit u hier, u hoort bij ons, bij mij, lieve mama.'

Dan komt Simon erbij en helpt Ria overeind.

'Hier is het allemaal gebeurd, hier ligt het verleden,' fluistert Ria.

'Nee kind, laat mij maar.'

'U gaat nu met ons mee, u kunt hier echt niet blijven.'

Ria kijkt haar dochter aan en zegt: 'Francien, mijn kind, ik heb … het is allemaal mijn schuld.'

'U bent wat overstuur, laten we hier maar weggaan.'

'Hier is het allemaal gebeurd, hier ligt het verleden, ook jouw verleden.'

'Ik mocht toch niet naar uw ouders?'

'Nee, nee, het was niet eerlijk van mij.'

'Wat niet?'

'Jij … mijn tweede vader heeft mij … hij heeft …' Dan zakt Ria in elkaar en vangen ze haar op. Simon draagt haar naar de auto.

'Ze is zwak,' zegt Simon.

Francien is stil en kijkt steeds naar haar moeder die op de

achterbank ligt. Ze rijden het erf van de boerderij op. Het is ondertussen al donker geworden.

Ria is ondertussen al bijgekomen. Ze helpen haar uit de auto. Simon neemt haar in zijn armen en legt haar op de bank in de kamer.

'Wat is er gebeurd met je moeder?' vraagt de moeder van Simon zorgelijk.

'Ze is wat zwak, ze moet nog wat bijkomen,' antwoordt Simon.

Francien gaat bij haar moeder zitten, houdt haar hand vast en fluistert: 'Gaat het, ma?'

Ria kijkt haar dochter aan en zegt opnieuw: 'Francien, Francien, ik heb met een leugen moeten leven, je moet het weten, het is niet goed. Je bent mijn kind. Hij is je vader niet, het was een leugen van ons.'

'Heeft u dan echt, heeft pa dan gelijk dat ik zijn dochter niet ben?'

'Ja Francien, het was erg, mijn stiefvader, die tweede man van mijn moeder, hij is jouw vader.'

'Maar hoe kan dat, waarom?' snikt Francien.

'Hij verkrachtte mij, hij was een vreselijke man, toch ben jij mijn kind.'

'Hoe kon u met zo'n leugen leven en zeggen dat Vincent wel mijn vader was? U hebt al die jaren gelogen tegen pa, om met hem te kunnen trouwen,' snikt Francien.

'Je vader heb ik alles verteld voor wij trouwden, ik ben bij zijn ouders gaan wonen. Jij werd daar geboren. Je vader, ik bedoel Vincent, hield nog zoveel van mij dat hij mij trouwde,' vertelt Ria.

'Dus daarom hadden jullie vaak ruzie om mij?'

'Dat niet alleen, je vader wilde ook een kind van ons samen, maar ik kon het niet en toen ik het wel wilde ging het niet meer. Maar toen geloofde je vader mij niet.'

'Dus ik heb geen vader, waarom trouwde u dan toch?'

'Je vader, ik bedoel Vincent, mijn man, wilde het.'

'U liegt, of pa liegt, ik wil nu de waarheid horen. Jullie hebben al die jaren met een leugen geleefd!' schreeuwt Francien nu overstuur.

Ria staat op van de bank. Ze omarmt haar dochter en snikt: 'Je bent mijn kind, ik wilde je niet laten doden, mijn ouders wilden dat ik het weg liet halen, maar ik kon jou niet missen. Ik had niemand meer, Vincent was zo goed om mij te trouwen.'

'Mooie vader die met een andere vrouw ...'

'Dat is ook mijn schuld, hij kon het niet meer verdragen dat ik een kind van een ander had en er niet een van hem wilde.'

Francien loopt zonder wat te zeggen weg van haar moeder naar buiten. Simon gaat haar achterna. Hij legt zijn arm om haar heen en troost haar.

'Het is allemaal zo erg.'

'Wie geloof jij?'

'Je moeder,' antwoordt Simon.

'Hoe moet het nu verder?'

'Als jij het ook kunt, moeten we die twee weer bij elkaar brengen.'

'Ik weet het niet, hij is mijn vader niet, waarom zou ik?'

'Toch lijkt het mij verstandig om alles eerlijk uit te praten.'

'Daar schiet ik niks mee op.'

'Het is beter de waarheid te horen van alle twee.'

Francien rukt zich los. Ze loopt terug naar binnen en vraagt aan haar moeder: 'Gaat u weer terug naar uw man?'

'Mijn man heeft een andere vrouw in Duitsland,' antwoordt Ria.

'Die vrouw is hier samen met haar zoon geweest, maar uw man heeft haar weggestuurd,' zegt Simon.

'Dus hij is nu weer alleen?'

'Ja, hij is thuis.'

'Zou hij mij nog terug willen hebben?' vraagt Ria verdrietig.

'Waarom heeft u altijd gelogen tegen uw man en mij?'

'Tegen mijn man heb ik nooit gelogen, tegen jou wel. Ik wilde je geen pijn doen en je laten geloven dat Vincent je vader was, maar het is allemaal anders gelopen.'

'Dus u wilde die leugen mee het graf in nemen?'

'Dat was de laatste weken wel mijn gedachte.'

'Van uw man ook?'

'Hij wilde het niet meer en aanvaardde jou niet meer als zijn dochter. Het ging allemaal verkeerd.'

Dan gaat Francien in een stoel zitten en begint te huilen. Simon legt zijn arm om haar heen en zegt: 'Francien, ik ben nou toch bij je?'

'Nee, nee, ik wil mijn ouders niet meer zien, breng mij weg.'

'Waarheen?'

'Dat weet ik niet,' snikt Francien.

'Jij blijft hier, ik breng je moeder weg naar haar man.'

Simon neemt Ria bij de arm en brengt haar naar zijn auto. Als ze in de auto zit en Simon weg wil rijden, dan komt Francien naar de auto rennen en schreeuwt: 'Mama, mama.'

Ria stapt uit de auto. Ze omhelst haar dochter en zegt met een zachte stem: 'Stil maar lieverd, het is allemaal mijn schuld.'

'Mag ik mee naar huis?'

'Ja, laten we samen naar je vader gaan die jouw vader niet is.'

Dan rijden ze naar het grote landhuis. Ria en Francien zitten achter in de auto, ze houden elkaars hand vast.

Als ze de oprit oprijden, kijkt Francien naar haar moeder en vraagt: 'Kunt u nog van uw man houden?'

'Hij heeft jou als zijn kind aanvaard en heeft echt van mij gehouden toen ik niemand meer had op de wereld en jou onder mijn hart droeg.'

Simon houdt het portier voor hen open en belt aan bij het landhuis. De deur gaat open. Simon kijkt Vincent aan en vraagt: 'Mogen wij binnenkomen?'

Zonder antwoord te geven draait Vincent zich om en loopt door de hal de woonkamer in. Simon wenkt de vrouwen dat ze binnen kunnen komen.

Als ze de kamer in komen zit Vincent in zijn stoel. Francien gaat samen met haar moeder op de bank zitten tegenover Vincent.

Dan zegt Ria: 'Vincent, ik heb Francien verteld ...' Verder komt ze niet. Ze staat op en valt op haar knieën voor de stoel van Vincent. Ze legt haar armen op zijn knie en smeekt: 'Vincent, Vincent, ik houd van je, laten we toch samen blijven, ik heb spijt.'

Vincent pakt Ria bij haar armen. Hij trekt haar naar zich toe en vertelt terwijl hij Francien aankijkt: 'Francien, ik heb je voorgelogen, ik wist dat je moeder zwanger was toen ik met haar trouwde. Ik wilde zelf met haar trouwen, ik hield te veel van haar en wist ook van haar stiefvader af en dat ze geen leven had. Ik kon niet zonder je moeder ... en nu nog niet, al ben ik haar ontrouw geweest. Ik heb spijt, Francien. Wil je toch mijn dochter zijn?' smeekt Vincent terwijl hij zijn vrouw vasthoudt.

Francien loopt naar haar ouders en omhelst hen. Nu vloeien er blinkende tranen op hun gezichten. Er wordt gezoend.

Simon is op een stoel gaan zitten en kan bij dit alles zijn emoties ook niet bedwingen. Hij veegt snel een paar tranen weg als hij dit allemaal voor zich ziet gebeuren en fluistert: 'Blinkende tranen.'

Dan pakt Francien hem bij zijn hand en zegt tegen haar

vader: 'Pa, dit is Simon, wij houden van elkaar, is het goed dat ik met deze boerenzoon trouw?'

Vincent staat op, geeft Simon een hand en zegt: 'Ik geloof dat je een goede vrouw gevonden hebt voor je boerderij.'

'Dank u,' antwoordt Simon wat verlegen.

Dan zegt Vincent tegen Francien: 'Wil je mij als vader aanvaarden, Francien?'

'Ik heb nooit beter geweten en voel nu dat ik een echte vader krijg, die van zijn kind kan houden.'

Dan vouwt Ria haar handen. De anderen volgen haar voorbeeld en bidden ieder voor zichzelf een stil dankgebed.